ROTONDE VAN HET LEVEN

Marja van der Linden

Rotonde van het leven

Spiegelserie

ISBN 978 90 5977 542 8
NUR 344

www.spiegelserie.nl
Omslagontwerp: Bas Mazur

1

'HET IS EEN JONGEN!'
Lobkes blije stem schalde door de slaapkamer. 'Wat leuk! Eindelijk een klein mannetje in de familie!'
De verloskundige keek op de klok. 'Vijf over drie, toch nog sneller dan ik dacht. Goed gedaan, joh. Het viel niet mee, hè?'
Aafke lachte haar vermoeid en bezweet toe. Deze bevalling had haar meer energie gekost dan de bevalling van Lisanne, inmiddels alweer drieënhalf jaar geleden. Toen ze van Lisanne beviel had ze de buikweeën goed kunnen opvangen met behulp van de pufoefeningen van de zwangerschapsgym, maar nu had ze weeën gekregen die vanuit haar rug begonnen, en die lieten zich veel minder makkelijk wegpuffen. Toen de vliezen gebroken waren had de verloskundige ontdekt dat de baby in kruinligging lag, wat mogelijk de oorzaak was van de rugweeën. Pas toen Aafke persweeën kreeg, ging het ineens heel snel. De baby had zo te horen geen last gehad van de bevalling, zijn typische wat schorre babygekrijs vulde de hele kamer.
Aafke voelde een nat washandje over haar wang glijden, en daarna kuste Tim haar zacht. 'Gefeliciteerd, schat. Zo te zien zit alles er weer op en aan.'
Ze duwde haar wang tegen zijn hand, keek hem toen aan. 'Toch een jongen. Ik was ervan overtuigd dat het weer een meisje zou zijn. Jij toch ook?'
Bij de twintigwekenecho was niet te zien geweest van welk geslacht de baby was, omdat de baby daarvoor verkeerd lag. En Tim en Aafke vonden een pretecho te duur om alleen te weten te komen wat het was. 'Dat zien we dan vanzelf wel als het geboren is,' had Aafke nuchter beslist.
Tim lachte. 'Blijkbaar dacht hij daar zelf anders over. Nu hebben we een dochter én een zoon. Dat noemen ze toch een rijkeluiswens?'
Ze knikte, maar concentreerde zich toen weer op de verloskundige die haar aandacht vroeg. De bevalling was nog niet klaar, de placenta moest nog komen. Die liet gelukkig niet lang op zich wachten.

Lobke was intussen allemaal foto's aan het maken van de baby, die nu warm aangekleed was en kleine smakgeluidjes maakte.
'Mag ik hem even vasthouden?' vroeg Lobke bijna smekend.
De kraamverzorgster keek vragend naar Aafke. 'Wil jij hem niet eerst...?'
Maar Aafke knikte. 'Het is goed, geef hem maar even aan Lobke.'
Lobke kreeg het bundeltje mens in haar uitgestrekte armen. Ze drukte het ontroerd tegen zich aan. 'Welkom in de wereld, manneke.'
Ze snuffelde bijna begerig aan zijn hoofdje, dat onder een klein blauw mutsje schuilging. 'Wat ruik je bijzonder!'
Aafke glimlachte. Haar jongste zusje met een pasgeboren baby. Even deed dat beeld haar pijn. Zoals het er nu uitzag, zou Lobke zelf nooit aan den lijve ondervinden hoe het was om zwanger te zijn en een bevalling door te maken. Door de chemokuren die ze had moeten ondergaan toen ze negen jaar geleden leukemie kreeg, was de kans op een zwangerschap praktisch nihil. Dat was de reden geweest dat ze zelf gevraagd had om bij de tweede bevalling van Aafke aanwezig te mogen zijn. 'Dan maak ik het toch een keer van nabij mee.'
Aafke en Tim hadden geen ogenblik geaarzeld toen Lobke hun die vraag voorzichtig gesteld had. 'Natuurlijk mag dat! En Roel?'
Maar voor Lobkes man Roel hoefde het niet zo nodig. 'Als ik een bevalling wil zien, zijn daarvoor tegenwoordig genoeg programma's op tv,' had hij gegrijnsd.
Afgelopen maandag was Aafke uitgerekend, maar Lobke zat al twee weken lang elke dag in spanning op een telefoontje te wachten. Op deze zaterdagmorgen waren de weeën begonnen, eerst langzaam, maar al snel kwamen die akelige rugweeën opzetten. Lisanne had gezien dat mama pijn had en wilde steeds bij haar in de buurt zijn, het liefst op schoot. Maar Aafke had genoeg aan zichzelf, zag Tim, dus was hij naar de buren gerend om te vragen of Lisanne daar vandaag naartoe mocht. De buren hadden zelf een tweeling, twee meisjes van tien, die het geweldig vonden om een hele dag te kunnen spelen met Lisanne.
Aafke had die morgen zelf nog naar Lobke gebeld. Lobke en Roel

waren tweeënhalf jaar geleden getrouwd en woonden in Montfoort. Roel werkte als sportleraar op diverse middelbare scholen in de buurt, Lobke werkte drie dagen per week in een praktijk voor fysiotherapie. Lobke had na het telefoontje van Aafke alles waar ze mee bezig was geweest, onmiddellijk losgelaten, ze had Roel gekust en was in haar auto gestapt, rechtstreeks naar het huis van Aafke en Tim in Boskoop. Ze had daarbij de neiging moeten bedwingen om haar gaspedaal dieper in te drukken dan toegestaan was op die weg. Als ze nu maar op tijd was! Je hoorde vaak dat een tweede bevalling veel sneller ging dan de eerste.

Maar ze was ruimschoots op tijd gekomen en had zelfs Aafke nog wat kunnen helpen door haar rug te masseren tijdens de weeën. Dat gaf haar het prettige gevoel dat haar aanwezigheid niet stoorde maar dat ze zelfs een bijdrage kon leveren.

Lobke knuffelde haar kleine neefje nog een keer, en kwam toen naar het bed toe gelopen. Met tranen in haar ogen keek ze naar Aafke en Tim. 'Echt tof dat ik dit mee mocht maken, joh, dit vergeet ik nooit. Dank jullie wel.'

Daarna overhandigde ze het bundeltje aan Aafke en legde het in de holte van haar arm. 'Alsjeblieft, jullie zoon. Hij weegt ruim zeven pond, volgens de zuster.'

Aafke nam het bundeltje aan en keek voor het eerst bewust naar haar zoontje. De baby keek haar met grote, verwonderde ogen aan.

'Hallo manneke, wat ben je al wakker,' zei ze zacht. Ze aaide met haar vinger over het zachte wangetje. Daarna keek ze naar Tim. 'Hij lijkt helemaal niet op Lisanne, vind je ook niet?'

Tim haalde zijn schouders op. 'Ach, zo'n gezichtje verandert nog zo veel in het begin,' zei hij. 'Dat was bij Lisanne toch ook zo?'

'Dat zou ik bijna vergeten te vragen,' klonk ineens de stem van de verloskundige, 'hoe gaat de nieuwe wereldburger heten?'

Tim keek naar Aafke en ze zeiden tegelijk: 'Steven Marijn, en zijn roepnaam wordt Stijn.'

Lobke proefde de naam even op haar lippen. 'Stijn. Stijn Peters. Kleine Stijn.' Toen besloot ze: 'Mooie naam. Past ook bij Lisanne, vind ik.

Steven zal wel naar papa zijn, en Marijn?'
Tim staarde een ogenblik in een onbekende verte. Toen antwoordde hij: 'Marijn is de naam van de man die tot mijn zeventiende als een vader voor me is geweest.'
De spanning was even te snijden in de slaapkamer, en Lobke durfde niet verder te vragen. Ze kende het verhaal van de vader van Tim.
Aafke keek naar haar echtgenoot. Ze zag een verdrietige trek rond zijn mond. Ze wreef hem over zijn rug en zei toen: 'Wil je m'n mobieltje even geven, dan kan ik naar pap en mam bellen. Die zitten al een week in spanning.'
'Zal ik Lisanne intussen gaan halen?' stelde Lobke voor. 'Ik ben zo benieuwd hoe ze op haar broertje zal reageren.'
Tim keek Aafke aan. 'Kan het al?' vroeg hij bezorgd.
Maar Aafke knikte. 'Ja hoor, ik voel me nu een stuk beter dan een uur geleden.'
'Mag ik dan meteen aan de buren vertellen wat het is, of willen jullie dat liever zelf doen?' vroeg Lobke.
'Vertel het hun maar zachtjes, zodat Lisanne het niet hoort, dan kunnen wij het zelf tegen haar zeggen,' bedacht Aafke.
Terwijl Aafke naar haar ouders en naar de moeder van Tim belde, liep Lobke langzaam de trap af. Ze pakte haar regenjas van de kapstok. Het was maar een klein stukje naar de buren, maar het regende pijpenstelen, en ze had geen zin om nat te worden.
Voor ze de deur opendeed, leunde ze tegen de deurpost en staarde voor zich uit. Ze werd overspoeld door allerlei gevoelens. Bewondering voor Aafke, en in Aafke voor alle vrouwen die zo'n kracht lieten zien als ze een nieuw leven op de wereld zetten. Een gevoel van liefde als ze aan dat kleine manneke Stijn dacht, en blijdschap om het warme nest waar hij in terechtgekomen was. Maar ook was daar die pijn, die de laatste tijd steeds heftiger werd. Pijn omdat zij, zoals het er nu uitzag, nooit zou mogen beleven hoe het was als er een kindje binnen in je groeide. Pijn omdat zij waarschijnlijk nooit moeder zou kunnen worden. Pijn omdat ze dat wonder nooit samen met Roel zou beleven. Omdat ze ooit leukemie had gehad.

Toen dokter Evers haar destijds had verteld dat ze door de chemokuren zeer waarschijnlijk onvruchtbaar zou worden, had ze die boodschap al vrij snel naast zich neergelegd. De vraag naar een eventuele kinderwens in de toekomst was op dat moment helemaal niet aan de orde, er was maar één vraag die belangrijk was: kon ze weer beter worden?

Doordat haar gehandicapte zusje Sanne beenmergdonor voor haar kon zijn, was ze na de chemokuren en de beenmergtransplantatie langzaamaan hersteld, en had ze na vijf jaar te horen gekregen dat ze 'schoon' was. Ze had in de loop van die vijf jaar haar gewone leven weer opgepakt en was op dat moment druk bezig met haar studie fysiotherapie. Een jaar na het stoppen van alle medicatie was ze weliswaar weer gaan menstrueren, maar enige regelmaat leek daar niet in te ontdekken; soms zat er wel drie of vier maanden tussen. De gynaecoloog die ze op advies van de huisarts geraadpleegd hadden, vertelde hun dat Lobke te weinig hormonen produceerde om een eisprong te hebben. Het was niet te voorspellen of dat zich nog zou herstellen. 'Je hebt kans dat je vervroegd in de overgang komt. Bij jonge mensen die chemo gehad hebben zie je weliswaar vaker dan bij oudere mensen dat het lichaam zich weer herstelt, maar garantie kan ik je helaas niet geven,' had hij gezegd.

Toen ze een jaar met Roel getrouwd was en iedereen om haar heen ineens zwanger leek te zijn, was de waarheid omtrent een mogelijke onvruchtbaarheid als een mokerslag bij Lobke naar binnen gedrongen. Ze had daar zo veel last van gekregen, dat ze zelfs aan Roel voorgesteld had dat hij maar een andere vrouw moest zoeken met wie hij wel kinderen zou kunnen krijgen.

Roel had haar stomverbaasd aangekeken. 'Wat zeg je nou?' Daarna had hij zijn hoofd geschud en haar stevig door elkaar gerammeld. 'Lobke Sikkens-Schrijver, wil je nooit meer zulke domme dingen zeggen? Ik wist toch toen ik met je trouwde dat je chemo gehad had en dat je daardoor mogelijk geen kinderen zou kunnen krijgen? We hebben elkaar toch trouw beloofd in goede én in kwade dagen? Dan ga je me toch niet ineens in de steek laten in je kwade dagen? En je

verwacht toch zeker niet van mij dat ik jou in de steek zal laten? Kom nu toch! Zo zijn we niet getrouwd, dame!'
Lobke had een tijdje in tranen tegen hem aan gezeten, maar zijn woorden hadden haar diep geraakt, en daarna was het weer een stuk beter gegaan met haar.
Maar haar aanwezigheid bij de geboorte van de kleine Stijn, hoe ze daar ook naar uitgezien had, had de oude wond weer opengereten. Even snikte ze om dat stille verdriet. Maar daarna rechtte ze haar rug en stapte de deur uit om Lisanne te halen.

Intussen had de kraamverzorgster de baby aangelegd bij Aafke om de borstvoeding op gang te brengen. Aafke keek naar het kleine manneke, dat in de holte van haar arm aan haar borst lag te drinken. 'Stijn,' zei ze zacht, alsof ze wilde wennen aan de naam. Ze dacht met een glimlach aan de reactie van haar vader door de telefoon toen hij hoorde dat zijn kleinzoon naar hem vernoemd was. Daarna gingen haar gedachten naar de vader van Tim, die niet eens te horen zou krijgen dat hij een kleinzoon had gekregen. Wie weet leefde hij niet eens meer.
Toen Aafke en Tim een relatie kregen, had Tim haar al vrij snel verteld over zijn ouders. 'Met mijn eigen vader heb ik helemaal geen contact meer. Hij is ervandoor gegaan toen wij nog klein waren. We woonden toen nog in Rotterdam. Trea, m'n oudste zus, was vijf, ik was drie, en Tirza, mijn jongste zusje, was anderhalf. Hij schijnt op zijn werk iemand ontmoet te hebben op wie hij verliefd is geworden, een of ander hups jong ding. Hij wilde scheiden. Voor mijn moeder kwam dat als een donderslag bij heldere hemel, die zag dat helemaal niet aankomen. Zij wilde niet scheiden. Het enige wat ik me nog herinner van mijn vader is dat ik onder de tafel was weggekropen toen hij ruzie had met mijn moeder, en dat ik bang was omdat hij zo schreeuwde tegen haar. Ik hoor nog steeds de klap van de deur die hij achter zich dichtsloeg. Ik weet alleen niet meer hoe hij eruitzag. Mijn moeder was zo verbitterd dat ze alle foto's waar hij op stond verscheurd heeft. Ze heeft ook alle contacten met zijn familie verbroken, omdat die hem

niet tot de orde riepen en zijn nieuwe vriendin bij hen thuis ontvingen. Ik weet niet eens of mijn opa en oma van vaderskant nog leven. Hij schijnt ook nog een broer gehad te hebben, maar waar die woont en of die nog leeft, weet ik ook niet.
Kort nadat mijn vader vertrokken was, is het huis verkocht en zijn wij verhuisd naar de flat in Delft waar mijn moeder nu nog steeds woont. Delft was haar geboortestad, en daar woonde ze dicht bij haar ouders. Die leven nu geen van beiden meer, zij waren al op leeftijd toen ze mijn moeder kregen. Die flat was een stuk kleiner dan de eengezinswoning die we gewend waren. Trea en Tirza moesten nu bij elkaar op de kamer slapen, en ik kreeg een soort berghok als kamer.
Mijn vader had destijds een goede baan, hij deed volgens mijn moeder iets met computers, en voor zover ik begrepen heb heeft hij altijd netjes zijn alimentatie voor ons betaald, tot Tirza zeventien en ik net negentien was. Daarna stopten de betalingen ineens. Mijn moeder is daar toen nog achteraan gegaan, maar volgens de advocaat was hij werkeloos geworden en kon hij de alimentatie niet meer opbrengen. Tirza en ik hebben toen een extra aanvullende studiebeurs gekregen. Dat ging zelfs vrij gemakkelijk, we hoefden alleen maar aan te tonen dat onze vader niet meer kon of wilde betalen.
Mijn moeder wilde na de scheiding van mijn vader niets meer van mannen weten. Het is jammer dat ik het moet zeggen, maar ze is een verbitterde vrouw geworden, die weinig vreugde in het leven ziet.
Mijn moeder leefde de eerste jaren van haar deel van de opbrengst van het huis, maar zodra Tirza naar de kleuterschool ging, is ze weer gaan werken. Ze kon terecht op de salarisadministratie van een bedrijf waar ze vroeger gewerkt had, en dat doet ze sindsdien drie dagen per week. Ik denk dat ze een gewaardeerde kracht is, ze is goed met cijfers, is nooit ziek. Maar of ze haar een prettige collega vinden? Geen idee. Ze praat ook nooit over haar werk.
Haar haat tegen mannen uitte zich soms ook tegen mij, zeker toen ik ouder werd. Ik was ook een man en was 'dus' niet te vertrouwen. Ik ben op mijn zeventiende al het huis uit gegaan, en kom nog maar zelden thuis. Met mijn zussen heb ik wel een goed contact, vooral met

Tirza. Trea is ook aardig, hoor, maar zij is wat afstandelijker. Logisch als je bedenkt dat mijn moeder na de scheiding in Trea een soort substituut voor mijn vader heeft gezocht, iemand op wie ze kon steunen. Trea heeft dat zo jong als ze was, en zo goed en zo kwaad als dat ging, op zich genomen, maar ze is zich daar erg tegen gaan verzetten toen mijn moeder haar zelfs wilde beletten dat ze op kamers ging toen ze op haar zeventiende ging studeren. Trea heeft toch doorgezet, en daardoor is de verhouding tussen haar en mijn moeder sterk bekoeld. Dat had tot gevolg dat Trea nauwelijks meer thuiskwam, en daardoor trokken Tirza en ik nog meer naar elkaar toe. Toen ook ik op mijn zeventiende de deur uit ging, vond Tirza dat erg jammer, en ze kwam geregeld een weekend naar Amsterdam, waar ik de SPH-opleiding deed. En ook Tirza ging direct na de havo het huis uit, zodat mijn moeder alleen achterbleef.
Ik heb mijn vader dus amper gekend. Maar gelukkig kwam er toen ik een jaar of tien was een alleenstaande oudere buurman naast ons wonen, Marijn Wouters, bij wie ik graag kwam, en die me bijvoorbeeld geleerd heeft hoe ik een band moet plakken, die me meenam als hij ging vissen, en bij wie ik mijn verhaal kwijt kon als ik thuis weer eens op mijn kop gekregen had. Hij was weduwnaar, had zelf al volwassen kinderen, en was hoofd van een gezinsvervangend tehuis. Door hem kwam ik in aanraking met de zorg. Ik was een wat eenzaam kind met weinig vriendjes, en had altijd het gevoel dat ik nooit iets goed deed. Misschien kwam dat doordat mijn moeder al haar negatieve gevoelens over die onbetrouwbare mannen op mij projecteerde. Als buurman Marijn er niet was geweest, was het vast slecht met me afgelopen. Maar van hem kreeg ik de bevestiging die ik zocht, en door hem ben ik nu wie ik ben. Helaas is hij vlak nadat ik het huis uit ging plotseling overleden aan een hartstilstand. Ik ben daar kapot van geweest, maar ik heb me toen ook voorgenomen om iets van mijn leven te maken, zodat hij trots op me geweest zou zijn. Ik had jou graag aan hem voorgesteld.'
'Misschien kunnen we een keer samen zijn graf bezoeken, tenminste, als hij begraven is?' stelde Aafke voor.

'Goed idee. Als je dat zou willen doen, zou ik dat fijn vinden. Dat kunnen we dan misschien combineren met een bezoek aan mijn moeder. Stel je daar niet te veel van voor. Mijn moeder zal je beleefd ontvangen, maar je kunt van haar weinig hartelijkheid verwachten. Ik waarschuw je maar vast, dan kan dat niet tegenvallen.'
Aafke had zijn zorgen luchtig weggewuifd. Zo erg zou het toch niet zijn?
Maar het was nog erger dan ze zich voorgesteld had. Tims moeder bleek een kille vrouw met een donkere, wantrouwige blik in haar koele lichtblauwe ogen. Haar haar was keurig gekapt, ze droeg een stijlvol mantelpakje en haar nagels waren puntig gevijld. Aafke vergeleek haar onwillekeurig met haar eigen moeder Hanneke, die thuis meestal rond-liep in een vrijetijdspak en soms zwarte nagelrandjes had van het werken in de tuin. Ze voelde zich bijna krimpen onder die afkeurende ogen.
'Zo, dus jij bent de vriendin van Tim,' had Tims moeder wat schamper gezegd. 'Nou, ik ben benieuwd hoelang dat duurt.'
'Moeder!' had Tim scherp gereageerd. Zijn moeder had haar schouders opgehaald en had daarop geen vervelende opmerkingen meer gemaakt, maar het gesprek wilde niet erg vlotten. Aafke had zich erg onwennig gevoeld in die bijna klinische woonkamer, waarin alles een afgemeten plaats leek te hebben en geen rommeltje te vinden was. Na drie kwartier waren ze alweer opgestapt, zonder een afspraak te maken voor een eventuele volgende keer.
Daarna waren ze met z'n tweetjes naar het kerkhof gegaan. Ze hadden het graf van buurman Wouters verzorgd, en daarna een tijdje stil in gedachten naast elkaar gestaan.

Toen hun relatie groeide, had Aafke ook nader kennisgemaakt met de beide zussen van Tim. Trea was een stevige, zelfstandige vrouw, die haar zaakjes goed voor elkaar leek te hebben en als manager in een grote winkelketen in Rotterdam werkzaam was. Zij had een latrelatie met Johan, een goedlachse kunstschilder, met wie Aafke het meteen goed kon vinden. Johan was een jaar of vijftien ouder dan Trea en had

twee inmiddels volwassen kinderen uit een eerder huwelijk.
Tirza had haar eerst wat terughoudend benaderd, maar toen ze doorhad dat het wel goed zat tussen Aafke en Tim, was ze al snel ontdooid. Tirza was lerares Engels. Zij had in het tweede jaar van haar studie tijdens een vakantie haar Hans ontmoet, een fruitteler uit Zeeland, en Hans en Tirza waren in hetzelfde jaar getrouwd als Aafke en Tim. Zij woonden in een klein Zeeuws dorp onder Goes, in een woning naast de boomgaard. Tirza was gestopt met haar baan, werkte mee op het bedrijf en was twee maanden geleden bevallen van een gezonde zoon, Gertjan.
De moeder van Tim werd alleen nog maar plichtmatig bezocht. En de man die de verwekker van haar kinderen was geweest, kwam niet meer ter sprake. Alsof hij nooit bestaan had.

Toen Aafke en Tim trouwden, had Tim op aandringen van Aafke toch een trouwkaart naar zijn vader gestuurd, althans, naar diens laatst bekende adres. Maar er was geen enkele reactie op gekomen. En ondanks dat Aafke ook een geboortekaartje van Lisanne had willen sturen vanuit de gedachte: wie weet brengt een kleinkind een reactie teweeg, was Tim dit keer niet te vermurwen geweest: 'Hij heeft zijn kans gehad en voorbij laten gaan.'
Bij het zoeken naar namen voor hun eerste kindje wilde Aafke graag de ouders vernoemen. Bij een meisje zou het Johanna Elizabeth zijn, naar Hanneke en naar Tims moeder. Ze wist van de trouwakte dat de naam van Tims vader Mattias was geweest, en dat had ze ondanks diens voorgeschiedenis toch een mooie naam gevonden. 'Dat betekent Godsgeschenk, Tim. Mattias Steven, of bijvoorbeeld Matthijs Steven, dat klinkt toch mooi?'
Maar ook daarin was Tim niet te vermurwen geweest. 'Dat heeft die man op geen enkele manier verdiend, dat er een kleinzoon naar hem genoemd wordt. Nee, als jij het goedvindt wil ik als het een jongen wordt, hem graag naar buurman Wouters noemen: Marijn.'
Aafke had het goedgevonden, maar had als enige concessie genoemd dat ze dan wel de naam van haar eigen vader als eerste naam zou wil-

len geven, dus Steven Marijn. 'Dan doen we bij een meisje eerst jouw moeders naam, goed?'
En dus werd het bij een meisje Elizabeth Johanna, roepnaam Lisanne, en bij een jongen Steven Marijn, roepnaam Stijn.

2

'KIJK EENS, PAPA EN MAMA, HIER IS GROTE ZUS LISANNE,' HOORDEN ZE DE stem van Lobke. Aafke keek op en lachte naar haar dochtertje.
'Hé Lisanne, kom eens bij mama kijken naar het baby'tje,' zei Tim en hij tilde zijn dochtertje op. Lisanne boog zich nieuwsgierig over het kleine gezichtje. Ze keek bedenkelijk toen ze zag dat het baby'tje aan mama's borst dronk.
'Doet de baby nou?' vroeg ze.
'De baby drinkt bij mama,' legde Tim uit. 'Vind je de baby lief?'
Lisanne keek naar Aafke. 'Is mama ziek?'
'Nee hoor, mama is niet ziek, mama is alleen een beetje moe,' antwoordde Aafke. 'Omdat het baby'tje vandaag geboren is. Nu ben jij een grote zus, Lisanne. En dit is je kleine broertje. Hij heet Stijn. Zeg maar: hallo Stijn.'
'Hallo Stijn,' echode Lisanne. Toen keek ze Aafke bedachtzaam aan. 'Zit de baby in de buik?' vroeg ze.
Aafke lachte. 'Nee, de baby zit nu niet meer in mama's buik. Dit is de baby die in mama's buik zat.'
Lisanne worstelde zich uit Tims armen. 'Ik wil bij mama in bed.'
'Laat haar maar even,' zei Aafke. 'Het is voor haar toch ook een hele belevenis.'
Zodra Tim Lisanne losgelaten had, kroop het kleine meisje naast Aafke en Stijn onder het dekbed. Ze stak haar duim in haar mond.
'Was het gezellig bij de buurvrouw?' vroeg Aafke.
'Hmmm,' knikte Lisanne zonder haar duim uit haar mond te halen. Toen schoot haar iets te binnen waardoor de duim even minder belangrijk werd. 'Buurvrouw heeft pannenkoeken gebakt!' zei ze stralend.
Aafke lachte om dat zonnige snuitje met die prachtige blauwe ogen. Wat was Lisanne toch een heerlijk meisje!
'Pannenkoeken? Maar die lust jij toch helemaal niet?' plaagde ze.
'Welles!' Lisanne knikte heftig met haar hoofdje, en deed daarna met een zucht van welbehagen haar duimpje weer in haar mond, terwijl ze

haar hoofd tegen Aafke vlijde en met een bedachtzame blik naar dat nieuwe broertje staarde.
Tim keek met een glimlach naar zijn dochtertje. Niets ter wereld had hem kunnen voorbereiden op dat wonderlijke, warme gevoel dat zijn dochtertje bij hem naar boven bracht. Hij hield veel van Aafke, en zijn gevoelens voor haar verdiepten zich meer en meer. Maar zijn liefde voor hun eerste kindje was met geen pen te beschrijven.
Hij keek naar de kleine Stijn, die tijdens het drinken in slaap gevallen was. Toen Aafke weer zwanger was, had hij het er met haar over gehad dat hij zich niet kon voorstellen dat hij van een tweede kind ook zoveel kon houden. Ook Aafke had zich dat afgevraagd.
'Hoe doe jij dat toch?' had Tim een keer aan Hanneke gevraagd. 'Je liefde over drie kinderen verdelen? Ik ben soms zo bang dat ik niet genoeg van ons tweede kindje zal kunnen houden.'
Hanneke had haar antwoord meteen klaar. 'Daar hoef je niet bang voor te zijn. Ik liep ook met die gedachte rond toen ik zwanger was van Sanne, maar mijn moeder zei toen: 'De liefde voor een nieuw kindje gaat niet af van de liefde voor je andere kind. Je hart groeit mee, en ieder kind krijgt daar een eigen plaats in.' En daar heeft ze gelijk in gekregen. Voordat Lisanne er was, kon je je ook niets voorstellen bij hoe het zou zijn om een kind te hebben, maar nu Lisanne er is en je weet wie ze is, houd je van haar om wie ze is. En zo gaat dat ook met een tweede kindje.'
Weer was hij vader geworden. Deze keer van een zoon. Net als die man, degene die hem verwekt had, die ook eerst een dochter en toen een zoon gekregen had. En daarna nog een dochter.
In gedachten noemde hij de man die zijn biologische vader was nooit 'mijn vader', maar altijd 'die man'. Die man was het niet waard om 'vader' genoemd te worden, zelfs niet in gedachten.
Maar nu hij naar zijn eigen zoon keek, zoals die man ooit naar hem gekeken moest hebben toen hij pas geboren was, was het alsof er een klein wormpje aan zijn hart knaagde, en drong de vraag zich aan hem op: had die man destijds ook zo'n warm gevoel gehad als hij naar zijn kinderen keek?

Meteen verwierp hij de vraag als onzin. Hoe zou het anders bestaan dat hij zijn kinderen zomaar in de steek gelaten had?

'Wie lust er beschuit met muisjes?' doorbrak de stem van Lobke zijn gedachten. Ze was binnengekomen met een blad met daarop theeglazen en schoteltjes met beschuiten met... blauwe muisjes!
'Hoe kom je daar nu aan?' vroeg Aafke verwonderd. 'We hadden toch alleen maar roze muisjes staan?'
'Even naar de super om de hoek gerend, dus de caissière weet nu ook gelijk dat jullie een zoon hebben,' grijnsde Lobke. 'Lust je een kopje thee, zus?'
'Graag!' Aafke voelde nu pas wat een dorst ze had. De kraamzuster, die met Lobke binnengekomen was, pakte de slapende Stijn uit haar armen. Lisanne bekeek haar argwanend.
'Baby is van mama, hoor!' zei ze met een boze blik naar de zuster. Het blauw in haar ogen werd donkerder. Wat deed die vreemde vrouw met haar nieuwe broertje?
Maar Tim pakte zijn dochtertje op en liep met haar op zijn arm achter de zuster aan naar de babykamer. 'Kom maar, dan gaan we kijken hoe de zuster Stijn in zijn eigen bedje gaat leggen. Want nu hij niet meer in mama's buik zit, moet hij ook in een bedje als hij gaat slapen, net als jij.'
Toen Tim en Lisanne de kamer uit waren, ging Aafke rechtop zitten en pakte het theeglas van Lobke aan. 'Hè, lekker, daar was ik aan toe.'
Terwijl ze slokjes van de nog hete thee nam, keek ze Lobke aan en vroeg: 'En? Hoe vond je het om erbij te zijn?'
Lobke had zich in het gemakkelijke stoeltje aan het voeteneind van het bed laten zakken en verzuchtte: 'Geweldig! Heel bijzonder om dat zo van nabij mee te maken. Anders, en veel spannender, dan een bevalling op de televisie. Ik merkte zelfs dat ik met je mee zat te puffen als je een wee kreeg.'
Aafke lachte. 'Dat had Tim ook bij de bevalling van Lisanne. Hij had na afloop een nog roder hoofd dan ik van het meepersen.' Ze nam nog een slokje van haar thee en vroeg toen: 'Vond je 't niet moeilijk? Ik bedoel...'

Lobke knikte. 'Natuurlijk. Op het moment zelf had ik daar niet zo'n last van, daarvoor was ik te veel gericht op wat er allemaal komen ging. Maar toen ik Lisanne ging halen overviel het me ineens, en toen ik jullie zo met z'n vieren bij elkaar zag ben ik maar naar de keuken gegaan om thee te zetten en even niet te hoeven kijken. Dit zal ik waarschijnlijk nooit meemaken, dat Roel en ik ons samen buigen over zo'n klein bundeltje mens. En dat doet zeer.'
'Dat kan ik me voorstellen,' zei Aafke.
'Is dat zo?' vroeg Lobke met een wat harde ondertoon in haar stem. 'Ik wil niet lullig doen, hoor, maar ik denk dat jij, die net je tweede kind hebt gekregen, je helemaal niet voor kunt stellen hoe het voelt om te weten dat je waarschijnlijk nooit een kind zult krijgen. Je kunt je misschien wel de pijn voorstellen hoe het is als je Lisanne of Stijn zou moeten missen, een pijn die mij verschrikkelijk lijkt, maar waar ík me geen voorstelling van kan maken – want ík weet niet hoe het voelt om moeder te zijn.'
Aafke wist even niet wat te zeggen, en nam maar weer een slokje van haar thee.
Tim kwam binnen met Lisanne. 'Sst, baby slaapt,' zei Lisanne met haar vingertje tegen haar mondje.
'De zuster heeft kleine Stijn in z'n bedje gelegd, en Lisanne heeft hem nog een kusje gegeven, hè Lisanne?' lachte Tim. Hij keek naar Aafke en Lobke, die met ernstige gezichten in hun theeglas staarden, alsof er op dat moment niets belangrijkers op de wereld was. 'Wat kijken jullie bedrukt?'
Aafke keek naar Lobke en zag dat die tranen in haar ogen had. 'Och, ik maakte een stomme opmerking tegen Lobke,' zuchtte ze toen. 'Sorry, Lob, je hebt natuurlijk helemaal gelijk.'
Lobke vocht tegen haar tranen. Lisanne keek verbaasd van de een naar de ander. Toen ze een traan van Lobkes wang zag glijden, werd ze nog verbaasder. 'Tante Lobke doet huilen!'
Het was alsof de woorden van het kleine meisje de sluizen van Lobkes tranen openzetten. Lobke kon ze niet meer tegenhouden, ze wilde ze ook niet meer tegenhouden. Ze sloeg haar handen voor haar gezicht

en snikte het uit.
Lisanne keek met een wanhopig gezichtje naar haar ouders. 'Tante Lobke doet huilen,' zei ze weer, met een blik die zei: en wat nu? Haar gezichtje vertrok alsof ze zelf ook elk moment in huilen kon uitbarsten.
Tim sloeg zijn arm om zijn schoonzusje, Aafke kwam het bed uit en ging op haar hurken voor haar zusje zitten. 'Hé, meissie, toe nou, ik zei toch al sorry.' Ze legde haar handen op Lobkes knieën en zocht Lobkes blik. 'Hé, meissie...'
Lobke snikte nog wat na en keek toen naar Aafke. Daarna haalde ze diep adem en zei: 'Nee, ik kan beter sorry zeggen. Ik ben ook een mooie, om jullie feestelijke dag te verpesten door te gaan zitten huilen.'
Aafke pakte Lobke bij de schouders en schudde haar heen en weer. 'Jij verpest niets, we vonden het veel te fijn dat je erbij was, zussie.' Ze keek Lobke doordringend aan. 'Gaat het weer een beetje?'
'Als iemand een zakdoek voor me heeft, gaat het wel weer.'
Tim hield die al voor. 'Hier, die heb ik vanmorgen schoon in m'n zak gestoken.'
Lisanne was intussen op bed geklommen en had van een afstandje alles bekeken. Ze leek opgelucht dat Lobke niet meer huilde en kroop weer wat dichterbij. Aafke zat nog op haar hurken voor Lobke, en voelde ineens twee armpjes om haar nek. Vertederd legde ze haar wang tegen een van de zachte armpjes. Toen pakte ze beide handjes beet, zei: 'Houd je vast!' en ging voorzichtig rechtop staan.
Lisanne vond het prachtig. 'Hop, paardje, hop!' juichte ze.
Maar Tim pakte haar van Aafkes rug en zei: 'Nee, Lisanne, mama moet nu eerst even uitrusten. Ga je mee naar beneden?'
'Er staan nog beschuiten met muisjes, die zijn we helemaal vergeten,' merkte Aafke op. 'Lisanne, lust jij ook een stukje?'
'Maar niet op bed, anders lig ik vannacht op de kruimels,' zei Tim. 'Ze krijgt van mij wel een stukje.'
Lobke stond op uit het stoeltje en ging op het voeteneind zitten, zodat Tim zijn dochtertje op schoot kon nemen. De beschuit met muisjes ging er grif in!

Even later ging de voordeurbel. 'Pap en mam,' wist Aafke. 'Die zijn meteen na het telefoontje in de auto gestapt.'
'Ik doe wel open,' zei Lobke, 'dan bel ik daarna direct naar Roel, hij zal vast ook hiernaartoe willen komen.' Ze keek op haar horloge. 'Bijna vijf uur al. Zal ik straks iets halen, Chinees of pizza of zo? Of willen jullie straks gewoon lekker met z'n viertjes zijn?'
'Nee hoor, juist gezellig als jullie blijven eten,' zei Aafke en ze leunde behaaglijk achterover in de kussens. 'Hoe meer zielen, hoe meer vreugd.'
Lobke kwam haar ouders al op de trap tegen, de zuster had hen binnengelaten.
Hanneke keek met een bezorgde blik naar haar jongste dochter. Toen ze gehoord had dat Lobke bij de bevalling wilde zijn, kon ze dat aan de ene kant wel begrijpen, maar aan de andere kant had ze zich afgevraagd of zoiets niet juist erg confronterend zou zijn voor Lobke. Ze zag aan Lobkes gezicht dat die gehuild had, knuffelde haar even en vroeg zacht: 'En? Hoe was het voor jou om erbij te zijn?'
Lobke knikte geruststellend naar haar moeder. 'Wel even taai, maar toch ook geweldig om mee te maken.' Ze kuste haar vader gedag en zei toen: 'Ik ga nu eerst Roel bellen, die weet nog van niks, en ik denk dat hij de nieuwe aanwinst ook wel zal willen komen bewonderen.'
Roel arriveerde terwijl Lobke de kraamzuster uitliet. Eerst feliciteerde hij Aafke en Tim met hun zoon, daarna liep hij samen met Lobke naar de babykamer.
'Dit is 'm dan,' zei Lobke zacht. 'De kleine Stijn. Lief hè, zo'n hummeltje.'
Roel sloeg zijn arm om Lobkes schouders. Zwijgend staarde hij naar de slapende baby. Van alles ging er door hem heen. Het 'dat is waarschijnlijk nooit voor ons weggelegd' drong zich aan hem op, maar ook ging zijn hart uit naar Lobke, die het met dat gegeven nog moeilijker leek te hebben dan hijzelf.
Kleine Stijn bewoog even in zijn slaap en gaf een klein geluidje.
Roel voelde aan zijn arm, die om Lobkes schouders lag, dat ze even in elkaar kromp. Hij legde zijn hand in haar nek en draaide met zijn

andere hand haar gezicht naar hem toe, zodat ze elkaar aankeken.
'Hoe was het vandaag?' vroeg hij.
'Ik heb jou gemist,' antwoordde Lobke. Ze sloeg haar armen om zijn middel en legde haar hoofd tegen zijn borst. 'Maar 't was heel bijzonder.' Ze zuchtte. 'Heel bijzonder.'

3

TIM WERD WAKKER VAN EEN VREEMD EN TOCH VERTROUWD GELUID. HIJ was van alles door elkaar aan het dromen geweest, maar het geluid drong steeds dieper door in het schemergebied tussen slapen en waken. Wat hoorde hij toch?

Aafke, naast hem, schudde aan zijn arm. 'Tim, Stijn huilt, wil jij hem halen? Anders wordt Lisanne wakker.'

Nog slaapdronken stapte Tim uit zijn bed en liep naar de babykamer. Kleine Stijn had zich blootgewoeld en lag klaaglijk te huilen. Tim herkende nu weer het vertrouwde in dat geluid: zo'n pasgeborenbabyhuiltje, zo had dat bij Lisanne ook geklonken. Dat was alweer drieënhalf jaar geleden.

Hij tilde de baby op en legde hem tegen zijn borst. De baby draaide zijn gezichtje naar Tims wang en begon te happen.

'O, mannetje, heb je honger? Kom maar, dan breng ik je bij mama, die heeft daar vast wel iets voor,' zei hij zacht. Voorzichtig liep hij langs Lisannes kamer. Lisanne sliep gelukkig over het algemeen goed. Zelfs als het onweerde, sliep ze daar doorheen.

Aafke lag al klaar om Stijn te voeden. Ze pakte het bundeltje mens aan van Tim. 'Heb je hem al verschoond?' vroeg ze.

'Nee, nog niet, dat doe ik straks wel als ik hem terugleg.' Tim schoot weer snel onder het dekbed. Het werd al behoorlijk fris 's nachts.

Toen Stijn gevoed en verschoond in zijn bedje lag, was Aafke weer snel naar dromenland vertrokken, maar Tim kon niet meer in slaap komen. Allerlei gedachten maalden door zijn hoofd.

Vandaag was hij vader geworden van een zoon. Tweeëndertig jaar geleden had hij zelf in een wiegje gelegen. Zou die man hem ook verschoond hebben? Zou die man hem ook voorgelezen hebben, hem getroost hebben als hij moest huilen, met hem gespeeld hebben, hem op zijn nek genomen hebben, met hem gefietst hebben? Allerlei handelingen die hij zelf met Lisanne deed, gingen aan zijn geestesoog voorbij.

Vreemd, toen Lisanne geboren was had hij zich die dingen nauwelijks afgevraagd. Alsof hij overspoeld werd door al het nieuwe dat op hem afkwam na de geboorte van een eerste kind. Toen was de gedachte aan 'die man' verstopt in een verre uithoek van zijn geest. Af en toe dreigde hij uit die hoek tevoorschijn te komen, maar tot voor kort was het Tim gelukt om hem daar te houden.

Tot twee maanden geleden. Toen hij en Aafke bij zijn zus Tirza op kraamvisite gingen nadat Gertjan geboren was, waren Trea en Johan er ook, en was het gesprek zomaar ineens gegaan over de man die hen verwekt had.

Tirza was ermee begonnen. 'Hebben jullie bij Lisanne een geboortekaartje gestuurd naar... naar... naar pa?' had ze gevraagd.

'Nee, we hebben het er wel over gehad, maar Tim wilde het niet meer,' antwoordde Aafke voor hen beiden.

'Hoezo?' had Tim wat boos aan Tirza gevraagd. 'Denk je dat het wat uithaalt? Die man heeft toch nooit z'n gezicht meer laten zien, denk je dat het hem interesseert wat wij allemaal beleven?'

Tirza had wat hulpeloos naar hem gekeken. 'Nou... nee... misschien...' Toen werd ze wat feller. 'Door de geboorte van Gertjan ben ik toch weer gaan nadenken over hem. Ik bedoel... Hij heeft toch ook meegemaakt wat jij en ik meegemaakt hebben, een kind gekregen? Iets zo bijzonders kan hij toch niet zomaar vergeten zijn?'

'Als hij had willen weten hoe het ons vergaan was, hadden we hem nog wel gezien. Niet dus. Dus interesseert het hem niet, heeft het hem misschien nooit geïnteresseerd.'

'Nou...' had Trea aarzelend gereageerd. 'Ik kan me ook nog wel goede momenten met hem herinneren.'

'Nou, ik niet!' Tim was heel beslist. Die herinneringen wilde hij niet meer oprakelen. Wat had het voor zin? 'Ik wil geen woord meer aan die man vuilmaken. Dat verdient hij niet.'

'Je lijkt zo net moeder,' had Trea half lachend, half schamper gezegd. Maar Tirza zei: 'Ik heb spijt dat ik erover begonnen ben. Jongens, 't is feest. We hebben een gezonde zoon!' En daarmee was het onderwerp van de baan geweest.

Maar Tirza's vraag was blijven hangen bij Tim, en ook de opmerking dat Trea wel goede herinneringen had, zat hem dwars. Hoe kon zij nou goede herinneringen hebben aan die man? Hij pijnigde zijn hersens en zocht wanhopig naar eigen beelden, maar het enige wat hij vond, was dat angstige gevoel daar onder die tafel.
Ga nou slapen, joh, dit helpt niks, en morgen moet je er weer vroeg uit omdat de kraamzuster dan voor de deur staat, zei hij tegen zichzelf. Maar het hielp niet. De vragen lieten zich niet meer wegdrukken en bleven komen.
Hoe zou zijn va... die man er nu uitzien? Zou hij nog wel leven? Voor hetzelfde geld had hij een keer een ongeluk gehad of had hij het aan zijn hart gekregen. Hoe oud zou hij nu zijn? Even rekenen... Hij zou zo'n jaar of dertig geweest zijn toen Tirza geboren was, en die was nu zelf dertig, dus was hij rond de zestig. Zo oud als buurman Marijn was geweest toen hij overleed.
Buurman Marijn... Tim glimlachte onwillekeurig toen zijn gedachten verschoven van 'die man' naar de man die wél als een vader voor hem was geweest. Diens gezicht kon hij zich zo voor de geest halen, net als de toffeeachtige geur van de pijp waarmee je hem kon uittekenen. Geuren bleven meestal lang hangen, dat kon je ook horen in het liedje van Paul van Vliet: 'Veilig achterop, bij vader op de fiets, ik weet nog hoe het rook...'
Hij had nooit veilig achterop bij zijn vader op de fiets gezeten. Hij had alleen bang onder de tafel gezeten toen die man...
Weg die beelden, ik wil ze niet zien! Ik wil aan buurman Marijn denken!
Aafke bewoog zich in haar slaap, alsof ze zijn onrust onbewust aanvoelde.
Zijn Aafke... Toen hij haar leerde kennen als de oudste zus van Sanne, het gehandicapte meisje op De Roos van wie hij persoonlijk begeleider werd, had hij haar meteen al erg aardig gevonden. Heel dat gezin had hij trouwens al vrij snel in zijn hart gesloten. Hij bewonderde de manier waarop ze met de ziekte van Lobke waren omgegaan, en de rol die Sanne daarin had kunnen en mogen spelen. Toen Lobke haar achttiende verjaardag vierde, was hij bij het diner naast Aafke terechtgekomen, en ze

hadden gezellig over van alles en nog wat zitten praten. En toen hij een keer een paar dagen met het hele gezin plus opa en oma De Bont, de ouders van Hanneke, mee was geweest naar York, zogenaamd om voor Sanne te zorgen, was dat voor hem meer een vakantie geweest, waarin hij en Aafke nader tot elkaar gekomen waren.
Al vrij snel daarna kregen ze een relatie en kwam hij ook bij het gezin Schrijver over de vloer. Enerzijds genoot hij van de warmte en de vanzelfsprekendheid waarmee ze hem in hun gezin opnamen. Anderzijds had hij er steeds een dubbel gevoel over: hier wel. Zo kan het dus ook. Hij kon het niet nalaten dit warme, soms wat rommelige nest te vergelijken met het nest waar hij zelf uit kwam. De kille, afstandelijke moeder. De o zo keurig uitgesproken maar o zo koude zinnen die uit haar mond kwamen. De verbitterde trek om haar mond. De onnatuurlijke perfectie die ze toonde als het om de inrichting van de huiskamer ging. Hij hoorde nog haar scherpe stem als hij de krant na het lezen naast zich op de bank legde: 'Die krant hoort in de krantenbak, Tim, hoe vaak moet ik dat nog zeggen?' Nooit eens bloemen op de tafel ('Dat geeft maar rommel'), als de zon in de kamer scheen ging gelijk de luxaflex naar beneden ('Anders raken de meubels verschoten'), nooit eens iets extra's bij verjaardagen ('Waarom? Omdat je jarig bent? Daar heb je zelf toch niks aan bijgedragen?'). En altijd maar weer de nadruk op de dankbaarheid die ze moesten tonen omdat zíj hen niet in de steek had gelaten en 'zo goed' voor hen zorgde. 'Ja moeder, dank u wel, moeder.'
Eigenlijk was zijn moeder maar een arme vrouw, die niet alleen haar kinderen, maar ook zichzelf een hoop tekortdeed.
Nee, zo ging hij dat niet doen met zijn eigen gezin. Hij wilde een voorbeeld nemen aan het gezin van zijn schoonouders. Daar was natuurlijk ook weleens wat, maar dat werd dan altijd uitgepraat. En in de liefde die van hun gezin uitging, had hij geleerd zich te koesteren. Dat omhulde hem als een warm bad. En zoiets gunde hij zijn kinderen ook.
Maar des te meer stak dat af tegen de kilte als hij zijn ouderlijk huis bezocht. Zijn moeder was een verzuurde, eenzame vrouw geworden, die haar werk perfect deed maar die geen vrienden had, nauwelijks contact had met de buren, en zelf haar kinderen en kleinkinderen alleen bij uit-

zondering bezocht: 'Jong hoort naar oud te komen, niet andersom.'
't Was dat Aafke zo trouw eens per maand naar haar toe wilde, anders kwam hij daar zelf nooit meer. Maar Aafke had steeds gezegd: 'Toe, Tim, laten we de eer aan onszelf houden, dan hoef jij jezelf later niets te verwijten. Dit is haar keus.'
Aafke had gehoopt dat de kleine Lisanne het ijs had kunnen breken, maar tot nu toe hadden ze daar weinig van gemerkt. O ja, moeder had zelfs wat meubeltjes en een blokkendoos gekocht voor als ze op bezoek kwamen, maar algauw werd duidelijk wat daar de bedoeling achter was: 'Ga jij maar daar aan je tafeltje zitten, kind, en als je klaar bent netjes de blokjes weer opruimen. Geen rommel in de kamer.'
Lisanne was meestal snel uitgekeken op de blokjes en had er tijdens het bezoek bij oma Liesbeth een gewoonte van gemaakt om dan maar bij papa en mama op de bank te zitten met haar knuffel in haar arm, en daar hele verhalen tegen te vertellen. Omdat papa en mama algauw uitgepraat waren met oma, waren die allang blij dat er door het gekwebbel van Lisanne niet al te grote stiltes vielen. En vaak waren ze binnen een uur weer vertrokken.
Nee, als Tim eerlijk was tegen zichzelf, hield hij niet van zijn moeder. Waar in zijn hart een lege plaats was ten aanzien van de man die hem verwekt had, zat er op de plaats van zijn moeder een ijsklompje. Kil en koud. Zoals hij zich nu voelde.
Tim riep zichzelf tot de orde. Niet op die kille plaats blijven hangen! Dat heeft geen enkele zin! Denk maar aan Aafke, en Lisanne, en Stijn.
Stijn... Weer drong het tot hem door dat hij een zoon had. Hij was vader van een zoon, net als...
Nee!
Tim wierp kwaad het dekbed van zich af en stapte uit bed. Aafke werd er wakker van en vroeg met slaperige stem: 'Wat is er, huilt hij weer?'
'Nee, ga maar weer slapen, ik moet alleen even plassen.'
Maar na het toiletbezoek ging Tim niet meer terug naar bed. Hij pakte zijn badjas van het haakje en sloop zacht naar beneden. Hij was nu klaarwakker, dus kon hij net zo goed even wat gaan drinken.
Beneden keek hij op zijn horloge. Kwart voor vijf. Het was haast de

moeite niet meer om naar bed te gaan, slapen deed hij nu toch niet meer. Op de tafel lag de lijst met adressen waar de geboortekaartjes naartoe moesten. Zou hij die nog eens langslopen? Ach nee, dat had Aafke deze week al drie keer gedaan. Misschien kon hij de enveloppen vast gaan schrijven? Nee, ook maar niet, Aafke deed dat liever zelf. 'Jij hebt zulke hanenpoten.' Ze had de enveloppen niet vooraf willen schrijven, al hadden ze die al een week of drie in huis. 'Nee joh, je weet nooit of het allemaal goed gaat, en dan zit je daar met die beschreven enveloppen, en als de kraamzuster er is heb ik daar tijd genoeg voor.'

Buiten begon het voorzichtig licht te worden. De dagen werden al merkbaar korter, nog een maandje en dan werd de klok alweer teruggezet. De kastanjeboom achter hun huis verkleurde al, nog even en hij zou zijn blad laten vallen.

Tim liep een beetje met zijn ziel onder zijn arm door de kamer. Boven was het niks gedaan, maar hier beneden in de kille huiskamer was het ook niet echt aangenaam. Hij pakte een willekeurig boek uit de boekenkast, zette dat weer terug, zocht zonder iets te zien langs de titels, met zijn gedachten heel ergens anders. Weer bij die man...

Op de plaats waar hij zijn hart wist, voelde het alsof er een steen op lag. Het drukte hem terneer en leek door alle vezels van zijn lichaam te trekken. Hij ging op de bank zitten en sloeg zijn armen om zijn lichaam in een koesterende beweging, alsof hij het wilde beschermen tegen dat oprukkende nare gevoel. Maar ook dat hielp niet, de onrust bleef in zijn lijf zitten.

Hij pakte de afstandsbediening en zapte wat langs de verschillende kanalen zonder dat tot hem doordrong wat hij zag. Wat hij wel zag, waren de beelden die hij als klein jongetje onder de tafel gezien had. Het waren geen bewegende beelden, het was alsof één bepaald moment bevroren lag in zijn geheugen, als een foto. Zijn ouders die ruziemaakten. De vrouw met haar handen voor haar gezicht, de schouders gebogen. De man met een van woede vertrokken gezicht, voorovergebogen houding, zijn vuist omhoog, alsof hij de vrouw elk moment kon gaan slaan.

Tim keek naar zijn handen. De beelden waren nog nooit zo scherp geweest als nu, zo scherp dat hij onwillekeurig zijn handen samenge-

knepen had. En ineens had hij het gevoel gehad alsof hij iets in zijn handen had. Een klein autootje. De illusie was zo duidelijk geweest dat hij verbaasd was dat er geen autootje te zien was. Hij wist hoe het eruitzag: een klein, groen racewagentje. Daar had hij onder tafel mee zitten spelen toen de ruzie begon. Hij wist het weer. De ruzie die geëindigd was met een harde klap van de dichtslaande deur. Zijn moeder die in huilen uitgebarsten was. Hij had zich niet durven bewegen. Pas toen zijn moeder de kamer uit gegaan was, was hij onder de tafel vandaan gekropen en was hij naar boven gevlucht, naar zijn kamertje. Wat er daarna gebeurd was, kon hij zich niet meer herinneren.
Een rilling trok over zijn rug. Hij keek op de klok: tien over zes. Buiten blafte een hond, verder was het doodstil. Zondag.
Hij stond op, deed het licht uit en sloop zacht de trap weer op, naar de slaapkamer. Aafkes rustige ademhaling bood een soort troost waar hij nu net behoefte aan had. Hij deed zijn badjas uit en kroop voorzichtig naast haar in bed, om haar niet wakker te maken. Ze merkte het natuurlijk toch, draaide zich om en vroeg slaperig: 'Hoe laat is het?'
'Nog te vroeg om eruit te gaan,' zei hij.
Ze nestelde zich in zijn armen. 'Hé, wat ben je koud,' schrok ze. 'Hoe komt dat?'
'Ik ben even beneden geweest, ik kon niet slapen.'
'O?'
''t Is niks, laten we nog maar even proberen te slapen.' Tim begroef zijn neus in Aafkes haar en knuffelde haar even. 'Lekker, zo tegen jou aan.'
Met Aafke in zijn armen viel hij toch weer in slaap.

4

'NOU, 'T IS EEN PRACHTIG VENTJE, HÈ MOEDER?'
Trea keek opzij naar haar moeder. Zij had haar opgehaald om op kraamvisite te gaan bij Tim en Aafke en had haar meteen mee naar boven genomen om naar haar nieuwe kleinkind te kijken. En nu stonden ze samen met Aafke over het wiegje gebogen.
Haar moeder knikte minzaam. 'Ja, 't is een mooi kind.' Daarna draaide ze zich om en liep de babykamer uit. 'Tim, is er al koffie?' hoorden ze haar roepen op de trap.
Trea trok haar wenkbrauwen op en grijnsde schaapachtig naar Aafke. Haar moeder bleef haar verbazen. Nu was ze voor de derde keer oma geworden, en alles wat eraf kon was: 'Ja, 't is een mooi kind.' Geen vraag of ze het even mocht vasthouden, geen verrukte blikken, geen vertederde lachjes, geen blijdschap om weer een gezond kindje, niets van dat al. Alsof het om een pop ging die ze zojuist plichtmatig had bewonderd, maar waar ze geen interesse in had.
Trea keek weer naar haar neefje en glimlachte. 'Welkom in deze wondere wereld met al z'n vreemde vogels, mannetje. Gelukkig zijn er nog genoeg mensen die wel van je houden,' fluisterde ze. Ze aaide over het zachte babywangetje en keerde zich toen naar Aafke. 'Fijn dat alles goed gegaan is. Hoe is 't met jou?'
'Nou, het was een heel ander soort bevalling dan met Lisanne, ik had het niet breed, maar toen hij er eenmaal uit was knapte ik snel weer op,' lachte Aafke. 'Dat vind ik altijd zo wonderlijk bij een bevalling. Die pijn die toeneemt in intensiteit, en op 't moment dat je denkt: nu houd ik het niet meer, mag je mee gaan persen en kun je zo als het ware de pijn wegdrukken. En zodra het kind eruit is, is die pijn van het ene op het andere moment weg. Dus niet net als kiespijn of hoofdpijn, dat je langzaam weg voelt trekken. Nee, in één klap: weg!'
Trea grijnsde. 'Ik hoor het al, niks voor mij. Ik ben nogal kleinzerig, weet je.'
'Nee, zou je het echt niet willen?' vroeg Aafke.
Trea schudde beslist haar hoofd. 'Nee, dat is niks voor Johan en mij.

Voor Johan hoeft het niet zo nodig, die heeft al twee kinderen en voelt zich te oud om weer vader te worden. Bovendien: een kind heeft een stabiele thuissituatie nodig, en Johan en ik hebben daarvoor een veel te onregelmatig leven. Johan is vaak van huis, soms zie ik hem wekenlang niet, dan is hij weer met een of ander project bezig. En ik ben nu eenmaal helemaal verslingerd aan die man, dus zou ik alleen hem als vader van een eventueel kind willen. Maar een kind praktisch in m'n eentje opvoeden zie ik ook niet zitten, daarvoor kost mijn baan me te veel energie. Dus nee, dat is voor ons niet weggelegd. Ik heb ook de drang niet zo om moeder te worden. De moedergevoelens die er eventueel in mij verscholen zouden zitten, kan ik ruimschoots kwijt bij mijn nichtje en neefje. Pardon, neefjes.' Ze lachte. 'Tjonge, mijn kleine broertje is nu zelf al vader van een dochter en een zoon. Waar blijft de tijd!'
Beneden klonk de voordeurbel. Aafke zei: 'Ga je mee? Ik loop ook wel even mee naar beneden. Ik denk dat dat Sanne is. Mijn ouders zouden haar vanmiddag ophalen en hiernaartoe komen.' Ze liep voor Trea uit de trap af.
Het was inderdaad Sanne, die net uit haar jas geholpen werd. Ze zat in een rolstoel omdat ze veel last van kleine aanvalletjes had, waardoor ze in haar mobiliteit weer wat achteruitgegaan was.
Aafke knuffelde haar zus. 'Ha Sanne! Kom je naar de baby kijken?'
'Baby!' riep Sanne. 'Baby kijken!'
'We gaan eerst binnen iedereen gedag zeggen,' zei Hanneke. 'Dan gaat Aafke straks de baby halen.'
'Baby!' riep Sanne weer. Ze schudde van de opwinding met haar bovenlichaam heen en weer. 't Was goed dat ze vastzat, anders was ze zo uit de rolstoel gevallen.
Hanneke en Steven begroetten Trea, die achter Aafke de trap af kwam, en daarna Tim en zijn moeder. Toen vlak daarna ook Tirza en Hans met hun zoontje kwamen, was de gang ineens vol.
'Iedereen koffie en beschuit met muisjes?' riep Tim over de hoofden heen.
'Wij hebben gisteren ook al gehad, maar het blijft lekker. Dus ja,' zei Hanneke. Ook Steven knikte, en Sanne riep: 'Koffie!' Tims moeder

bedankte. 'Nee, ik alleen maar koffie. Ik heb net geluncht.'
Terwijl Tim in de keuken bezig was met de koffie, installeerde de rest zich in de woonkamer. Hanneke ging naast Tims moeder zitten. Ze zagen elkaar weinig, alleen soms bij verjaardagen. Ze wist dat Tims moeder Liesbeth heette, maar iets in de houding van de vrouw had vanaf het begin al een afstand geschapen. Ze waren dan ook 'u' en 'mevrouw' tegen haar blijven zeggen, en de vrouw liet dat zo, nodigde hen nooit uit om haar te tutoyeren.
'Wat een mooi mannetje, hè?' zei Hanneke. ''t Blijft toch altijd weer een wonder, zo'n baby'tje. Hoeveel kleinkinderen heeft u nu?' Ze wist dat wel, maar zocht naar een gespreksonderwerp dat hen beiden zou interesseren.
'Drie. Tirza heeft sinds kort ook een baby. En u?'
'Wij alleen deze twee, Lisanne en Stijn. Bij Lobke en Roel zullen waarschijnlijk geen kinderen komen door de chemo die Lobke gehad heeft, en dan hebben we alleen nog onze Sanne.' Hanneke keek naar Sanne, die wat onderuitgezakt in haar rolstoel hing. Ze leek verdiept in haar eigen wereldje.
Terwijl Tim binnenkwam met de koffie en de beschuiten met muisjes, klonk het door de babyfoon: 'Papa, mama, ik ben wakker.'
'Ach, mag ik haar halen?' bedelde Hanneke.
Aafke lachte. 'Tuurlijk.'
Hanneke vloog overeind, alsof ze bang was dat iemand anders haar voor zou zijn. 'Oma komt, hoehoe.'
Ze hoorden door de babyfoon hoe oma en kleindochter elkaar enthousiast begroetten, en even later kwamen Hanneke en Lisanne naar beneden. Toen de huiskamer vol visite bleek te zitten, drukte Lisanne zich even tegen oma Hanneke aan, maar ze trok al snel bij toen Tim haar wat te drinken gegeven had.
Na de koffie gingen Aafke en Tim met Tirza en Hans naar boven om de kleine Stijn te laten bewonderen. Tirza en Tim hadden elkaar sinds de geboorte van Gertjan alleen maar af en toe door de telefoon gesproken, en ze stonden wat onwennig tegenover elkaar. De uitbarsting van Tim hing nog tussen hen in. Het zat Tirza dwars. Haar relatie met Tim

was altijd goed geweest, het was voor 't eerst dat er iets was wat blijkbaar niet bespreekbaar was tussen hen. Ze stak het op het feit dat ze nu zelf moeder was geworden, en dat ze daardoor misschien wat gevoeliger was voor disharmonie.
Ze boog zich over de slapende Stijn. 'Wat een gaaf koppie!' zuchtte ze. 'Daar word je toch helemaal verliefd op!'
Tim knikte. 'Ja, 't is een mooi ventje. Toch is hij heel anders dan Lisanne, die was veel ronder.'
Zwijgend stonden ze met z'n vieren om de wieg. Daarna zei Aafke: 'Ik moet even naar 't toilet, ik ben zo terug.'
Toen Aafke weg was, vroeg Tirza aan Tim: 'Hoe is het nu met jou?'
'Hoezo?' vroeg Tim. 'Ik heb niks hoeven doen, Aafke deed al het werk. Ik hoefde alleen maar haar hand vast te houden en af en toe een nat washandje op haar voorhoofd te leggen.'
'Dat bedoel ik niet, ik bedoel...' Ze keek wat hulpeloos naar Hans, maar die hief zijn handen in een verontschuldigend gebaar omhoog en zei: 'Dit is iets tussen broer en zus, ik bemoei me er niet mee, hoor. Ik ga vast naar beneden, praten jullie dit eerst samen maar uit.' En hij verliet de kamer.
Tim keek hem verbaasd na. 'Uitpraten? Wat bedoelt hij?'
'Ja, uitpraten,' zei Tirza ineens flink. 'En misschien is het hier boven Stijns bedje niet de juiste plaats en het juiste moment, maar ik wilde het toch eens met je hebben over je heftige reactie toen ik laatst over pa begon.'
'O, dat.' Tim wist meteen wat ze bedoelde. Hij keek donker en zei: 'Misschien wil ik het daar niet met jou over hebben.'
Tirza keek hem smekend aan. 'Toe, Tim, we zijn altijd maatjes geweest, ik wil niet dat dit tussen ons in komt te staan.'
Tim haalde zijn schouders op. 'Wat mij betreft hoeft dit niet tussen ons in te staan. Die man is al jaren weg en we hebben hem nooit nodig gehad, toch? Waarom zou hij nu ineens tussen ons in komen te staan?'
'Misschien wil ik wel dat hij weer een rol in mijn leven gaat spelen.'
Tim keek haar stomverbaasd aan. 'Wat?'
'Ja. Ik ben er nog niet uit of ik dat echt wil, maar sinds ik zelf moeder

ben, moet ik vaak aan hem denken. Wat voor soort man is het? Hoe ziet hij eruit? Lijk ik op hem? Waar zou hij zijn? Hoe zou het met hem gaan? Ik weet nog niet of ik naar hem op zoek wil, maar áls ik dat ga doen, wil ik dat niet achter jouw rug doen. En ik zou ook niet willen dat wij ruzie zouden krijgen als ik hem zou gaan zoeken.'
Tim wist niet wat hij hoorde. 'Die man heeft ons in de steek gelaten! Hij heeft zijn vrouw met drie kleine kinderen laten zitten! En jij wilt hem gaan zoeken? Ik snap jou niet, Tirs!'
Tirza keek wanhopig. 'Ik snap mezelf ook niet. Nogmaals: ik weet nog niet of ik dit echt wil, maar...'
Tim haalde in een vertwijfeld gebaar een hand door zijn haar. 'Nou, je doet maar, maar als je maar niet denkt dat ik iets met hem te maken wil hebben als je hem vindt.'
'Maar ik wil niet dat wij daardoor ruzie zouden krijgen. En toen je laatst zo heftig uitviel toen ik over hem begon, schrok ik erg van je reactie, en die zit me nog steeds dwars.'
Tim bond wat in. 'Dat hoeft niet. Ik ben niet boos op jou, maar op die man.'
Tirza pakte zijn hand. 'Tim, laat die man niet tussen ons in komen. Maar laat mij doen wat mijn hart me ingeeft. Oké?'
'Oké,' gaf Tim onwillig toe. Toen lachte hij wat grimmig. 'De vorige keer dat we onenigheid door die man hadden, was toen Gertjan net geboren was. En nu doen we het weer boven kleine Stijn. Wij zijn ook een mooi stel ouders!'
'Nou, Stijn slaapt gelukkig lekker door,' lachte Tirza, blij dat de spanning verbroken was. 'En nu maar hopen dat hij er onbewust niets van meegekregen heeft.'
'Kom, laten we maar weer naar beneden gaan,' zei Tim. 'De anderen zullen niet weten waar we blijven.'

Toen Stijn gevoed en verschoond was, bracht Aafke hem mee naar beneden en legde hem bij Sanne op schoot. 'Kijk eens, Sanne, de nieuwe baby.'
Sanne vergat heen en weer te wiegen en staarde verbaasd naar het bun-

deltje op haar schoot. 'Baby...' verzuchtte ze. Ze stak haar handen hulpeloos in de lucht en leunde achterover, alsof ze bang was om de baby aan te raken.
Aafke pakte een van Sannes handen en bracht die naar Stijns wangetje. 'Voel eens hoe zacht.'
Sanne vond het wel een beetje eng, maar toch keek ze aandachtig naar het baby'tje, dat het zomaar goedvond dat zij het aanraakte. Toen Stijn ineens een grote gaap liet zien, schrok ze en trok ze snel haar hand terug. 'Baby au!'
'Nee hoor, de baby heeft geen au, de baby heeft weer slaap. Net als ik, kijk maar.' En Aafke imiteerde Stijns gaap.
Sanne keek nog wat wantrouwig, maar waagde het toch weer om het wangetje van de baby aan te raken. 'Zacht,' constateerde ze.
'Ja, lekker zacht, hè? Net als Sannes wang.' Aafke legde haar hand tegen Sannes wang en aaide erover.
Sanne duwde haar wang tegen Aafkes hand. 'Lekker.'
Iedereen lachte, behalve Tims moeder. Die had het niet zo op mensen als Sanne, wist Hanneke, dat had ze al eerder gemerkt. Ze voelde een lichte wrevel opkomen. Hè, wat een akelig mens toch, het mocht een wonder heten dat haar kinderen desondanks zulke leuke mensen geworden waren.
Hanneke had zelden een hekel aan mensen, maar het gevoel dat ze bij Tims moeder had, benaderde dat gevoel nu toch akelig dicht. Ze schaamde zich er onmiddellijk voor. Die vrouw had toch geen makkelijk leven achter de rug, met een man die haar in de steek had gelaten toen ze nog midden in de kleine kinderen zat.
Hoor haar nu eens. 'Die vrouw.' Ze gebruikte in gedachten dezelfde onpersoonlijke benaming als Tim voor zijn vader.
'Zal ik nog eens koffie inschenken?' vroeg ze, en ze schudde haar gedachten als het ware van zich af.
'Ik heb ook nog bowl, die had ik vrijdag al gemaakt, ik had al zo'n idee dat de baby niet lang meer op zich zou laten wachten,' zei Aafke.
'Ja, lekker, bowl,' klonk het van alle kanten. En ook Sanne riep: 'Bowl! Lekker!' Alleen Tims moeder bedankte. Natuurlijk.

Aafke pakte Stijn van Sannes schoot en zei: 'Dan breng ik Stijn wel boven en duik ik weer m'n bed in. Ik voel me nog een beetje slap in de benen.'
'Zal ik zo wat bowl boven brengen?' vroeg Hanneke.
'Ja, doe maar, da's goed voor 't zog,' grapte Aafke. Ze was blij dat ze weer naar boven kon, voelde zich vermoeider dan ze liet blijken.
Lisanne wilde met mama mee, maar oma Hanneke hield haar tegen. 'Nee, blijf jij maar hier, kleine schat, mama is een beetje moe.'
Lisanne protesteerde, maar oma Hanneke hield voet bij stuk. Toen oma haar vroeg of ze mee ging helpen de bowl in te schenken, was Lisanne weer tevreden.
'Als jij je bowl ophebt, zou ik graag weer naar huis willen,' zei Tims moeder tegen Trea. 'Ik moet nog eten koken.'
'Dat is goed,' antwoordde Trea. Ze was ermee gestopt zich te ergeren aan haar moeder. Dat haalde toch niets uit, daar had ze alleen maar zelf last van. Ze lepelde extra langzaam de vruchtjes uit de bowl, dronk het sap op en stond toen op om iedereen gedag te zeggen. Haar moeder had intussen de jassen al gepakt.
'Nog even Aafke gedag zeggen,' zei Trea. Ze roffelde naar boven, maar kwam direct daarop zacht lopend terug. 'Ze slaapt,' zei ze tegen Tim. 'Geef jij haar een knuffel van me?'
'Da's goed,' zei Tim. Hij begeleidde zijn moeder en Trea naar de auto. Na een poosje vertrok ook Tirza met haar man en kind.
'Kan ik nog iets doen?' vroeg Hanneke aan Tim. 'Een was vouwen, of strijken?'
'Nee hoor, dat hebben de kraamzusters allemaal al gedaan. We hebben er twee, er is ook een leerling bij. Dat is wel fijn. En morgenochtend staan ze om acht uur weer op de stoep.'
'Nou, dan gaan wij ook zo weer. We wilden onderweg pannenkoeken gaan eten met Sanne. Laat Aafke maar lekker liggen, ik bel haar morgen wel. Ik denk dat ik woensdag of donderdag met opa en oma De Bont langskom. Ben jij dan nog vrij?'
'Nee, ik ga woensdag weer werken, ik heb met mijn leidinggevende afgesproken dat ik een week vrij neem als de kraamzorg vertrokken is.

Lekker een weekje met z'n viertjes.'
Nadat Hanneke, Steven en Sanne vertrokken waren, ging Tim aan het eten beginnen. De kraamhulp had de aardappels al geschild en de boontjes afgehaald, hij hoefde de pannen alleen maar op te zetten en een paar tartaartjes te bakken. Terwijl hij daarmee bezig was, was Lisanne lief aan het spelen met het poppenhuis dat opa De Bont voor haar derde verjaardag gemaakt had.
Tim dacht terug aan de opmerking van Tirza: 'Misschien wil ik wel dat hij weer een rol in mijn leven gaat spelen.'
Vreemd dat die behoefte juist bij Tirza bestond. Zij had geen enkele herinnering aan haar verwekker, ze was anderhalf geweest toen hij uit haar leven verdween. Terwijl Trea de meeste herinneringen aan hem had, blijkbaar ook zelfs positieve. Maar Trea had bij Tims weten nooit een poging ondernomen om hem te achterhalen.
Hij hoorde gestommel op de trap en even later kwam Aafke luid gapend de keuken in.
'Waar zijn ze allemaal?' vroeg ze verbaasd. En toen, met een blik op de keukenklok: 'Is het al zo laat? Dan heb ik een hele poos geslapen. En Stijn blijkbaar ook, of heeft hij nog gehuild terwijl ik sliep?'
'Nee hoor, meneertje heeft geen kik gegeven, terwijl het toch allang voedingstijd is.'
'Heb je nog heet water? Ik heb zo'n droge mond. Dan neem ik wel een glas thee mee naar boven en ga ik hem voeden.'
'Wil je beneden eten of zullen we naar boven komen?' vroeg Tim.
'Ik kom straks wel weer naar beneden, ik heb vanmiddag al lang genoeg in bed gelegen. Was 't gezellig?'
'Ja hoor, maar moeder wilde al snel weer weg. Je weet hoe ze is.'
Aafke knikte. Toen vroeg ze: 'Wat was dat nu, tussen jou en Tirza? Ik hoorde jou zo uitvallen tegen haar.'
'O, niks,' antwoordde Tim wat wrevelig. Vervelend nu, dat Aafke dat gehoord had!
'Nou, noem dat maar niks. Ik kon je in de badkamer horen. Volgens mij ging het over jullie va... over jullie verwekker.'
'Tirza wil misschien naar hem op zoek,' zei Tim.

Aafkes mond viel open van verbazing. 'Echt?'
'Ja. Maar ze wil dat ik daarvan op de hoogte ben, zei ze.'
'En wat vind jij daarvan?'
Tim haalde zijn schouders op. 'Tja, wat vind ik daarvan? Ik vind het maar niks.'
'Ben jij nooit eens nieuwsgierig naar hem?' vroeg Aafke.
'Nee hoor, waarom?'
'Ik soms wel. Ik zie zo weinig gelijkenis tussen jullie drie en je moeder, dat ik me soms afvraag hoe hij eruitgezien moet hebben. Alleen Tirza lijkt een beetje op je moeder. Tenminste, uiterlijk dan, want ze is een heel andere persoonlijkheid dan je moeder.'
'Gelukkig wel.'
'Stel nu dat Tirza hem vindt, wat doe jij dan?'
'Niks. Want ik wil niks met hem te maken hebben. Wat Tirs doet moet ze zelf weten, als ze mij er maar niet bij betrekt. Nou, het eten is klaar, ga je zo voeden of zullen we eerst eten?'
De boodschap was duidelijk: wat Tim betreft was het onderwerp van de baan.

5

De kleine Stijn was nu twee maanden oud. Aafke was wat langer moe gebleven dan na de bevalling van Lisanne. 'Logisch, je hebt er nu twee om voor te zorgen, da's honderd procent meer dan één,' was de reactie van Hanneke geweest.
Aafke genoot van haar zwangerschapsverlof. Voor de geboorte van Lisanne werkte ze fulltime, maar na haar verlof was zij drie dagen per week gaan werken, op maandag, dinsdag en vrijdag, en dat wilde ze nu ook blijven doen. Tim had één dag per week papadag, op dinsdag. Op maandag en vrijdag ging Lisanne naar het kinderdagverblijf, en gelukkig kon Stijn daar straks ook op die dagen terecht. Maar omdat ze door had gewerkt tot vier weken voor de bevalling en omdat Stijn bijna een week te laat was gekomen, had ze nu nog vier weken te goed, dus hoefde ze pas de maandag na Nieuwjaar weer aan het werk. Lekker!
Stijn kwam nog geregeld 's nachts, die leek zijn ritme niet te kunnen vinden. Nu eens was het een boertje dat dwarszat, dan weer een vieze broek. Gelukkig sliep Lisanne overal doorheen, maar vooral Tim gingen die gebroken nachten opbreken. Aafke kon overdag nog weleens gaan rusten, als Lisanne haar middagslaapje deed. Tim probeerde af en toe in het weekend zijn schade in te halen, maar dan lagen er nog allerlei klusjes die gedaan moesten worden, bezoeken die afgelegd moesten worden, Lisanne die het waar wilde nemen dat papa thuis was, kortom, daar kwam het meestal niet van.
Op zijn werk was het erg druk. De toenemende bezuinigingen zorgden voor de nodige hoofdbrekens, ook daar lag hij 's nachts weleens wakker van. Het maakte hem ook boos.
'We hebben de opdracht gekregen efficiënter te gaan werken,' mopperde hij tegen Aafke. 'Ik voel dat bijna als een belediging voor mijn team. Alsof we nog steeds niet efficiënt zouden werken. De laatste jaren is er al zo veel afgeroomd, er was een vacaturestop, diverse taken zijn over de teamleden verdeeld, maar er zijn ook nieuwe taken bij gekomen, zoals de toegenomen registratie van alles wat we doen. Hoe moet ik dat nu weer verkopen aan het team? Het geeft alleen maar

onrust, en dat komt niet ten goede aan de zorg voor de cliënten.'
Hij wond zich steeds meer op. 'Weet je waar we straks naartoe gaan? Ik heb daar schrikbeelden van. Bijvoorbeeld: meneer Jansen is een nieuwe cliënt. Eén van zijn hulpvragen is: 'Ik voel me vaak zo eenzaam, alsof het niemand meer uitmaakt hoe ik me voel. Ik zou zo graag willen dat er af en toe eens iemand zomaar bij me komt zitten en belangstellend naar me is, naar hoe het met me gaat en zo.' Nou, zo'n begeleidster moet dat in een zorgplan zetten, en schrijft dus op: meneer Jansen wil dat regelmatig iemand aan hem vraagt hoe het met hem gaat. Alleen: 'regelmatig' is niet concreet genoeg volgens de regels, dus moet dat anders. Wat is regelmatig? Eén keer per week? Nee, daar is het budget niet hoog genoeg voor. Eén keer per twee weken dan. Nog niet concreet genoeg, dus komt er uiteindelijk in zijn zorgplan: op de tweede en vierde vrijdag van de maand, 's morgens om halfelf, moet er iemand naar meneer Jansen toe om te vragen hoe het met hem gaat. Dat is concreet. Oké. Stel je voor, de tweede vrijdag van de maand, 's morgens om halfnegen. Jongens, wie gaat er vandaag naar meneer Jansen om zijn hulpvraag te beantwoorden? En dan gaat er iemand naar hem toe rond halfelf, gaat bij meneer Jansen op de bank zitten en vraagt: 'Meneer Jansen, hoe is het nu met u?'
Maar meneer Jansen zit in de put. Want de dinsdag daarvoor heeft hij van alles meegemaakt waar hij met iemand over wilde praten, maar toen was er niemand. En nu kan hij alleen maar zijn hoofd schudden als teken dat het niet goed gaat. De begeleidster krijgt er niets meer uit, gaat maar weer weg, maar kan wel afvinken dat ze voldaan heeft aan het zorgplan. Dus de registratie klopt als een bus. En dat is belangrijk, want alleen dan wordt er geld uitgekeerd. Is dat nu zorg?' Hij brieste bijna.
Lisanne hield op met spelen. Ze kwam naar Aafke toe gelopen en keek angstig naar Tim. 'Is papa boos?' vroeg ze aan Aafke.
Aafke nam haar op schoot. 'Papa is wel boos, maar niet op jou, hoor.'
Tim moest ineens terugdenken aan dat kleine jongetje onder de tafel. Hij schrok. Lisanne was nu net zo oud als hij toen...
Hij bond meteen in. 'Sorry voor m'n uitval,' bromde hij. 'Maar 't zit me

erg dwars allemaal.'
'Dat merk ik,' zei Aafke droog. 'En je zult niet de enige zijn op je werk.'
'Nee, dat is zo, maar omdat de druk steeds meer toeneemt merk ik dat iedereen zich terugtrekt op zijn eigen eilandje om te kunnen overleven. Dat is tenminste nog een beetje overzichtelijk.' Tim stond op. 'Ik ga effe een eindje fietsen, de onrust uit m'n lijf trappen.'
'Wil je dan meteen langs de aardappelboer? De aardappels zijn bijna op.'
'Dat zal ik doen.'
Eenmaal op de fiets reed Tim richting de polders. Hij moest nodig wat ruimte om zich heen ervaren, in een dringende behoefte om zich te bevrijden van dat knellende gevoel dat hem steeds meer leek te omsluiten. Wat mankeerde hem toch? Waar kwam dat gevoel vandaan? Van de bezuinigingen? Dat was niet iets van de laatste tijd, dat speelde al jaren, en tot nu toe had hij daar steeds een weg in weten te vinden.
Een voorval van de afgelopen week speelde door zijn hoofd. Een van zijn teamleden had zich ziek gemeld. Naar het leek zou dat een langdurige kwestie worden, ze zou een flinke operatie moeten ondergaan. Normaal gesproken zou hij meteen een afspraak gemaakt hebben voor een huisbezoek na de operatie, want hij was erg betrokken bij zijn teamleden. Maar nu was het enige waar hij aan had gedacht: niet vergeten om haar ziekmelding door te geven aan P&O, anders krijgen we een boete voor een te late melding. Er moet vervanging komen, maar het budget van invalkrachten is al bijna op, hoe moet ik haar uren invullen? En nu gaan m'n verzuimcijfers weer omhoog, dat zal wel weer opmerkingen opleveren. De hoeveelste ziekmelding is dit trouwens van haar, moet er een verzuimgesprek volgen? Waar liggen die formulieren ook alweer? Bah, al dat gedoe.
Toen dat tot hem doordrong, was hij geschrokken van die gedachten. Die gingen niet zoals anders over zorgen om de medewerker en wat zij moest doormaken, maar alleen over cijfers: een mogelijke boete, de hoogte van zijn budget, de verzuimcijfers, het aantal ziekmeldingen per jaar. Tekenend voor de hedendaagse cultuur in de zorg, die een

'afrekencultuur' aan het worden was in plaats van een 'u-kunt-op-ons-rekenencultuur'.
Hij trapte stevig door, blind voor zijn omgeving. Wilde hij dit nog wel? Wat was er nog over van de idealen waarmee hij destijds in de zorg was gaan werken? Idealen die ook te maken hadden met buurman Marijn? Hij dacht terug aan de eerste keer dat hij met buurman Marijn mee was geweest naar zijn werk. Ze zouden samen gaan vissen, maar de buurman moest nog even iets ophalen uit zijn kantoor, en daarbij had hij Tim een rondleiding gegeven door de woonvoorziening. Tim had zich verbaasd over de warme sfeer die in de woningen hing, zo heel anders dan de sfeer die hij gewend was. Het was er een stuk rommeliger dan bij hem thuis, maar het was een gezellige rommel. Een van de begeleidsters was een spelletje aan het doen met twee bewoners, een andere bewoner zat naar een video te kijken, weer een andere bewoner was aan het roeren in een grote pan soep.
Buurman Marijn had gezien hoe Tim rondgekeken had, en daarna had hij hem in de vakanties weleens een dagje meegenomen om als vrijwilliger mee te helpen, in en rond het huis. Tim deed spelletjes met de bewoners, kluste wat in de tuin, leerde van een van de bewoners hoe je lekkere groentesoep moest maken, hielp een andere bewoner met het schoonmaken van diens aquarium. Hij genoot van die dagen. Met Richard, een van de jongere bewoners, een ouderloze jongen met het syndroom van Down, had Tim een speciale relatie ontwikkeld. Richard noemde hem 'mijn vriend'.
Tims moeder vond het maar niets dat hij zo veel tijd doorbracht bij 'die mensen', maar ze tolereerde het zonder verder commentaar, en vond het allang best dat Tim op die dagen tenminste thuis geen rommel maakte. Maar toen Tim voorstelde dat hij Richard eens mee naar huis zou nemen, was daar niet over te praten geweest. 'Geen sprake van!'
Buurman Marijn was degene geweest die Tim had gewezen op het gemak waarmee hij met de bewoners om bleek te kunnen gaan. 'Misschien is werken in de zorg ook wel iets voor jou, ze hebben mensen als jij hard nodig.'
Tim had daar niet eens lang over hoeven nadenken en had zich na de

havo aangemeld bij een SPH-opleiding. Toen buurman Marijn kort daarna overleed, had Tim zich helemaal op zijn studie geworpen. Hij zou zorgen dat buurman trots op hem zou zijn geweest!
Nu vroeg hij zich af: wat waren zijn motieven destijds geweest om in de zorg te gaan werken? Was hij dat met name gaan doen zodat buurman trots op hem zou zijn geweest? Had hij op die manier op buurman willen lijken, zoals een zoon op zijn vader wil lijken? Of was het toch het werk in de zorg zelf geweest dat hem trok?
Hij wist het niet meer. Hij leek niets meer zeker te weten, zijn hoofd leek de laatste weken één grote prop watten. Hij functioneerde zo'n beetje op de automatische piloot, was er wat verbaasd over dat dat nog niemand opgevallen was. Blijkbaar gaf hij nog op de juiste tijd de juiste antwoorden.
Hij vond het de laatste weken 's morgens steeds moeilijker om naar zijn werk te gaan, wilde het liefst het dekbed over zijn hoofd trekken en slapen, slapen, slapen. Heel de wereld buitensluiten. Nergens meer aan hoeven denken.
Hij zag er als een berg tegen op dat Aafke straks weer zou gaan werken, dat hij op zijn papadag alleen voor de kinderen zou moeten zorgen. Die kleintjes waren nog zo afhankelijk van hun vader en moeder, hoe moest hij, met zijn hoofd vol watten, nu zorgen voor twee kleine kinderen? Als er iets mis zou gaan, zou hij het zichzelf nooit vergeven. Hij probeerde zijn zorgen met Aafke te delen, maar die wimpelde dat af met: 'Joh, dat gaat vast wel lukken zodra je daar weer mee bezig bent. Met Lisanne ging het toch ook goed?'
Hij was er niet verder op ingegaan. Hij wist zelf niet eens precies wat er met hem aan de hand was, hoe kon hij dat dan duidelijk maken aan Aafke? En dus trok hij zich steeds meer terug in zichzelf.

De weken daarna voelde Tim zich alsof hij van een steeds steiler wordende helling af gleed zonder dat hij ergens grip vond om zich aan vast te houden. Dat dreef hem ertoe om zich nog meer op zijn werk te storten, alsof de vertrouwde handelingen hem nog enig houvast gaven. 's Avonds viel hij als een blok in slaap, maar ondanks het feit dat Stijn

nu 's nachts doorsliep, werd hijzelf rond een uur of twee klaarwakker, om dan pas tegen een uur of vijf in een onrustige slaap te vallen. Als de wekker dan om kwart voor zeven afliep, moest hij van heel ver komen en leek de prop watten in zijn hoofd alleen maar dikker te worden. Overdag sleepte hij zich van kop koffie naar kop koffie, waardoor hij 's avonds stijf stond van de cafeïne. Dat hielp hem door de avond heen. Hij hield Lisanne bezig terwijl Aafke het eten klaarmaakte, bracht na het eten Lisanne naar bed volgens de vaste rituelen: in bad, 'Jan Huigen in de ton' doen en dan tot slot een verhaaltje. Daarna hing hij wat voor de tv, en om negen uur zat hij alweer te gapen.
Maar de nachten waren geen rustpunt om naar uit te kijken, maar werden iets om te vrezen. Want dan begon het malen...
Zijn gedachten vlogen tijdens die slapeloze uren van hot naar her. Van zijn werk naar de kinderen, van Aafke naar 'die man', van zijn moeder naar een functioneringsgesprek dat hij de volgende dag moest voeren, van een klus in de schuur naar de geboorte van Stijn, van gebeurtenissen uit zijn jeugd naar Sanne naar Richard naar... Er was geen knop die hij kon omzetten, zijn gedachten buitelden over elkaar heen als bladeren in de herfstwind.
Soms ging hij er maar uit 's nachts, in een poging om die gedachtestroom te doorbreken. Maar de stilte van de nachtelijke woonkamer bood geen afleiding. Hij wilde ook niet te veel geluid maken, om Aafke of Lisanne niet wakker te maken. Een boek of de krant lezen was geen optie, want sommige woorden boden direct weer een link naar nieuwe gedachten, en de stroom begon dan opnieuw.
De feestdagen brachten de nodige drukte met zich mee. Kerst viel dit jaar op vrijdag en zaterdag, dus moest er voor drie dagen eten in huis gehaald worden. 'Een luxeprobleem,' vond Aafke. Voor eerste kerstdag was de Schrijverskant van de familie uitgenodigd bij Hanneke en Steven om daar te komen eten, de Peterskant was voor tweede kerstdag uitgenodigd bij Trea en Johan. Aafke had toegezegd dat zij voor beide maaltijden het dessert zou meenemen en was de dagen daarvoor druk bezig om allerlei recepten uit te proberen. Tim mopperde: 'Ik groei straks nog dicht van al die proeftoetjes.' Maar Lisanne vond het alle-

maal even heerlijk, vooral omdat ze mama erbij mocht helpen.
Tim had de week tussen Kerst en Oud en Nieuw vrij genomen om bij te tanken, maar had het daardoor de dagen voor Kerst extra druk. Hij merkte dat hij zich minder kon concentreren, waardoor het lezen van stukken en de voorbereidingen op de diverse vergaderingen die in aantal alleen maar toe leken te nemen, meer tijd ging kosten. Hij moest soms hele stukken opnieuw lezen omdat de inhoud niet was blijven hangen. En hij kréég nogal wat te lezen. Het leek wel alsof er elke week weer nieuwe regels bedacht werden. En van hem als leidinggevende werd verwacht dat hij dat allemaal 'vertaalde' naar zijn team. Ook al stond hij er niet altijd achter.
De prop watten in zijn hoofd had zich uitgebreid naar zijn hele bovenlichaam. Hij leek vervuld met een dofheid die een weerslag had op zijn omgeving. Alles leek grijs, grauw, zwaar, en het enige dat hij nog leek te voelen, was ergernis. Ergernis als hij weer eens een mail van het beleidsteam kreeg met een bijlage van veertig A4'tjes en de vraag om de inhoud zo spoedig mogelijk op te nemen met zijn team. Ergernis toen de man van een van zijn medewerksters hem hevig beledigd opbelde met de vraag waarom de onregelmatigheidstoeslag van zijn vrouw niet klopte, en over het uitblijven van excuses toen bleek dat de man zelf een foute berekening had gemaakt. Ergernis wanneer de medewerkers druk met elkaar in gesprek waren als hij in zijn kantoortje ernaast aan het werk was en probeerde zich te concentreren. Ergernis over een moeder die kwam klagen over de kamer van haar zoon, die naar haar idee niet goed schoongemaakt was omdat er nog stof op de plinten lag. Ergernis wanneer hij naar huis reed en hij alle stoplichten tegen had.
'Hèhè, ik ben blij dat ik de komende anderhalve week van dat gezeur af ben,' zuchtte hij toen hij aan het eind van de middag voor Kerst binnenkwam en zijn tas in de hoek van de kamer smeet.
Aafke was net slagroom aan het kloppen en keek hem met opgetrokken wenkbrauwen aan. 'Slechte dag gehad?' vroeg ze al kloppend.
Tim plofte op de bank neer en schopte zijn schoenen uit. 'Slechte dag? Zeg maar gerust slechte dagen. Tjonge, wat kunnen sommige mensen

zeuren, zeg!' Hij haalde zijn hand door zijn haar en wreef toen met beide handen over zijn gezicht, alsof hij net wakker was.
Hij keek om zich heen. 'Waar zijn de kinderen?' vroeg hij.
'Stijn ligt te slapen en Lisanne is bij de buren. Amber en Laura waren vanmiddag al vrij en verveelden zich, dus ze vroegen of Lisanne kwam spelen. We hebben vanmorgen alle boodschappen al gehaald, en ik vond het wel fijn om vanmiddag nog even m'n handen vrij te hebben voor die desserts, dus kwam dat mooi uit.'
Ze was klaar met kloppen en ging verder met het bereiden van de chocolademousse. 'Wil jij zo de tafel dekken? We eten hutspot.'
Tim hees zich moeizaam overeind. 'Ik zal blij zijn als die feestdagen weer voorbij zijn,' steunde hij. 'Al die drukte.'
'Nou, ik vind het wel fijn om morgen en overmorgen iedereen weer eens te zien. Met twee kleine kindjes kom je bijna nergens meer. Opa en oma De Bont en tante Els en oom Ton heb ik voor 't laatst gezien toen ze op kraamvisite kwamen, en Lobke is ook alweer even geleden. 't Is dat pap en mam zo trouw om de twee weken komen en geregeld Sanne meebrengen, anders zagen we die ook amper meer. En overmorgen jouw familie, gezellig hoor.'
'Nou, gezellig!' zei Tim wat schamper terwijl hij de borden op de tafel zette.
Aafke keek op bij het horen van de toon in zijn stem. 'Wat is er met jou?'
'O, niks. Ik heb alleen niet zo'n zin in al die drukte, als het aan mij lag bleven we lekker thuis met z'n viertjes.'
'Nou, gelukkig ligt het dan niet aan jou,' zei Aafke, bitser dan ze bedoelde. 'Ik kijk er juist naar uit.'
Op dat moment ging de achterdeur open en kwamen de buurmeisjes Lisanne terugbrengen. Het viel Aafke op dat Lisanne niet net als anders op Tim afvloog, maar dat ze met een scheef gezichtje naar hem keek en fronsend constateerde: 'Papa is moe.'
Tim leek het niet te horen, hij ging tenminste gewoon verder met tafeldekken. Aafke hurkte bij Lisanne neer en vroeg: 'Was het leuk bij Amber en Laura?' Ze aaide haar dochtertje over het zachte haar en

vroeg zich af wat er allemaal door dat kleine koppie ging.
Terwijl Lisanne enthousiast begon te vertellen wat ze allemaal bij de buurmeisjes gedaan had, luisterde Aafke maar met een half oor. Ze keek naar Tim. Wat was er toch met hem aan de hand?

6

De feestdagen waren weer voorbij. Eerste kerstdag was erg gezellig geweest, en gelukkig had Sanne ook een goede dag. Je kon aan haar zien dat ze genoot van al die familie om haar heen. Stijn werd opnieuw bewonderd door opa en oma De Bont en tante Els en oom Ton, en Lisanne liet aan iedereen zien dat ze al vier letters kon schrijven. 'Dit is mijn letter, deze is van Stijn, deze van papa, en deze van mama. Die van mama is alleen nog wel een beetje moeilijk.'
Hetzelfde kunstje werd op tweede kerstdag herhaald bij tante Trea en ook daar kreeg ze applaus. Trea had veel werk gemaakt van het eten en Aafkes 'grand dessert' werd veel eer aangedaan.
Lobke en Roel hadden op eerste kerstdag gevraagd of ze Oud en Nieuw bij Aafke en Tim konden vieren. 'We zouden eerst naar Roel z'n vader gaan, maar die kreeg onverwachts een uitnodiging om in Oostenrijk Oud en Nieuw te komen vieren, en dat aanbod wilde hij niet afslaan.'
'Tuurlijk, kom maar, gezellig!' had Aafke spontaan gezegd.
Maar onderweg naar huis had Tim wat gemopperd: 'Nou haal je je weer allerlei drukte op je hals.'
'Joh, zo druk zijn Lobke en Roel toch niet? En we hoeven het toch niet zo laat te maken?' had Aafke gereageerd. En ondanks Tims gemopper had hij moeten toegeven dat het toch een gezellige avond was geweest. Roel en Lobke kwamen al voor het eten, zodat ze Lisanne en Stijn ook nog konden zien. Lobke had oliebollen en appelbeignets meegebracht en Aafke had een schaal bowl klaargemaakt. Toen de kinderen naar bed waren, hadden ze eerst gescrabbeld en daarna een potje Triviant gespeeld. De oudejaarsconference op tv viel in de smaak, en tegen twaalf uur had Tim een fles champagne ontkurkt, zodat ze klokslag twaalf konden toosten op het nieuwe jaar. Lisanne werd wakker van het vuurwerk en mocht op tante Lobkes arm voor het raam kijken, terwijl Tim en Roel wat sierpijlen afstaken en Aafke de boel opruimde. Daarna waren Roel en Lobke weer naar huis gegaan en rolden Aafke en Tim hun bed in. Tim kon alleen niet direct de slaap vatten,

hij was al over z'n slaap heen. Hij lag nog lang wakker. Een nieuw jaar lag voor hen. Wat ging dit jaar hem brengen? Hij had er een hard hoofd in.

'Spannend, morgen weer mijn eerste werkdag, ik ben benieuwd hoe het gaat,' zei Aafke op de zondagavond na Nieuwjaar toen de kinderen op bed lagen en ze uitgeteld van een drukke dag voor de televisie hingen. 'Fijn dat de proefdagen met Stijn op het kinderdagverblijf ook goed gingen.' Ze rekte zich loom uit en gaapte. 'Het is afgelopen met luieren.'
'Nou, luieren,' bromde Tim. 'Ik heb niet het gevoel dat we de afgelopen maanden veel geluierd hebben.'
Aafke ging naast hem op de bank zitten en stak haar arm door de zijne. 'Je bent een brompot. Maar je hebt wel gelijk, het is toch een hele drukte, van één naar twee kindjes. Maar ik heb wel erg genoten van m'n zwangerschapsverlof, en van het tuttelen met Stijn en ruim de tijd hebben voor Lisanne. Dat zal straks wel weer tegenvallen. Maar toch heb ik ook weer zin om aan het werk te gaan. Weer eens 'gewone' gesprekken voeren tijdens de lunch, die over iets anders gaan dan over Dora of Bob de Bouwer.' Ze glimlachte.
Tim reageerde niet. Hij zat onderuitgezakt op de bank met gesloten ogen.
Aafke gaf hem een speelse duw. 'Hé, ouwe, word eens wakker. Slapen doe je in bed.'
'Ik slaap niet, ik ben alleen moe.'
'Je bent wel vaak moe de laatste tijd, hè? En je hebt net anderhalve week vrij achter de rug. Moet je niet eens langs de huisarts?' vroeg Aafke bezorgd. Sinds Lobke leukemie had gehad, lieten moeheidsklachten meteen allerlei alarmbellen rinkelen.
'Welnee, het is niks, gewoon slaapgebrek van de afgelopen tijd.' Tim hoopte dat Aafke er niet verder op door zou gaan. Hij wou even niks aan z'n hoofd. Morgen moest hij weer aan het werk. Bah.
Hij keek op de klok. Halfnegen. Te vroeg om nu al naar bed te gaan zonder Aafke nog ongeruster te maken. Hij zapte wat langs de diverse

kanalen, maar er was niets wat hem boeien kon.
Aafke legde haar hoofd tegen zijn schouder, alweer met haar gedachten ergens anders. 'Ik had Tirza gisteren aan de telefoon,' zei ze.
'O. Nog wat veranderd sinds we haar vorige week gezien hebben?' Tim was blij dat ze van onderwerp veranderde.
'Eigenlijk wel.' Aafke was even stil.
Aan de manier waarop Aafke dat 'eigenlijk wel' zei, merkte Tim dat er nog meer zou volgen, iets moeilijks, en hij vroeg zich af of hij dat wel horen wilde.
Toen Tim niet doorvroeg, vervolgde Aafke aarzelend: 'Ze heeft informatie gekregen over...'
Tim viel haar meteen in de rede. 'Als het over die man gaat, wil ik er niks over horen.'
'Maar...' zei Aafke.
'Niks, hoor je me! Dat had ik toch al gezegd?' Hij stond op en liep woedend heen en weer. Zwaaiend met zijn armen riep hij: 'Wat wil Tirs nou? Wat moet die man in ons leven? Niets toch? Hij heeft al ellende genoeg veroorzaakt!'
'Maar...' zei Aafke weer.
'Ik ga naar bed, welterusten!' brieste Tim, en hij stormde de kamer uit, de trap op.
Aafke bleef beduusd achter. Wat was er toch met Tim? Waar was die vrolijke, vlotte jongen gebleven waar ze destijds als een blok voor gevallen was? De laatste tijd leek hij alleen maar leeuwen en beren op de weg te zien, en liep hij overal over te mopperen. Zelfs Lisanne ging hem zo veel mogelijk uit de weg. 's Avonds in bed viel hij meestal meteen in slaap, en intieme momenten waren er nauwelijks meer tussen Aafke en hem. En als het al tot vrijen kwam, was Tim ruw en gehaast, alsof hij wanhopig probeerde zijn gevoel bij te blijven.
Ze maakte zich nu ernstige zorgen om hem. Hij moest maar zo snel mogelijk een afspraak maken met de huisarts. Hij leek wel overspannen, zoals hij reageerde. Kwam dat nu allemaal door het werk? Maar tot een paar maanden geleden leek er geen vuiltje aan de lucht.

Tot een paar maanden geleden... Aafke realiseerde zich ineens dat de verandering in Tim was begonnen na de geboorte van Stijn. Ze herinnerde zich nu ook zijn zorgen over zijn papadag, of hij wel goed genoeg voor de kindjes zou zijn. Aafke had dat destijds weggewuifd als 'normaal', maar nu hij zo heftig reageerde, begon zij zich ook af te vragen of het wel zo goed zou gaan als Tim een hele dag in z'n eentje voor Lisanne en Stijn moest zorgen.
Ineens zag ze op tegen de volgende morgen, als zijzelf ook weer zou gaan werken. Hè, ze had er zo naar uitgezien, en nu dit. Hoe moest dat nou?
Nou ja, ze zou ook maar naar bed gaan. Misschien zag het er morgenochtend wel anders uit. Ze ruimde de koffieboel op, deed de televisie en de lichten uit en ging naar boven.
Op de kamer van Stijn stond een schommelstoel, waarin ze meestal de laatste voeding gaf. Stijn liet zich rustig verschonen, dronk bijna slapend, ze kon hem zo weer terugleggen. Daarna liep ze naar Lisanne, die zich helemaal blootgewoeld had. Ze dekte Lisanne toe en liep toen naar de ouderslaapkamer.
Tim lag op zijn zij, met zijn rug naar haar toe. Zou hij al slapen? Ze kleedde zich uit in de badkamer, poetste haar tanden en schoof voorzichtig naast hem in bed. Voor het eerst in vier maanden zette ze weer de wekker op halfzeven. Daarna viel ze in een onrustige slaap.

Tim werd wakker van de pijn op zijn borst. Zijn hart ging als een razende tekeer, zijn vingers tintelden en zijn handen waren klam van het zweet. Hij had het gevoel geen lucht te krijgen en ging met een ruk overeind zitten. Hij ademde kort en snel, wilde dieper ademhalen, maar dat lukte niet. Vanuit de mist in zijn hoofd schoot de angst als een bliksemschicht door hem heen, verkrampte zijn nek en trok zijn ruggengraat samen. Hij schoot uit bed alsof hij wilde ontsnappen aan zijn angstaanjagende lijf. Hij rende bijna naar het raam, deed het open en hing hijgend voorover over de vensterbank. Lucht, hij moest lucht krijgen!
De nachtwind streek langs zijn bezwete gezicht, wat hem deed rillen.

Wat gebeurde er? Ging hij dood?
Aafke werd wakker. 'Wat is er, joh, 't is hartstikke koud met dat raam open!'
Tim kon geen antwoord geven. De angst had bezit genomen van zijn benen, van zijn stem, van zijn armen. Zwaar en hijgend hing hij over de vensterbank. Zijn longen leken om lucht te schreeuwen, maar hij kon met geen mogelijkheid diep inademen. Hij voelde zich licht in zijn hoofd. Was dit doodgaan? Was zijn geest zich al aan het losmaken van zijn lichaam? Zijn hart kon dit tempo toch niet volhouden?
Maar hij ging niet dood. Heel langzaam ebde de angst weg, met de pijn op zijn borst.
Aafke stond inmiddels naast hem, ongerust nu. 'Hé, Tim, wat is er?'
Tim probeerde zijn hoofd te schudden. 'Ik weet het niet,' hijgde hij. 'Ik had het ineens zo benauwd, en pijn op mijn borst.' Zijn hart sloeg een paar keer over en ging toen langzamer kloppen.
Aafke trok Tim achteruit en duwde hem op bed. Daarna sloot ze het raam. 'Je zou een kou oplopen, het vriest buiten.' Toen ging ze naast hem zitten en vroeg bezorgd: 'Gaat het weer een beetje?'
Tim knikte. De angst was nog niet helemaal uit zijn lijf verdwenen, maar hij kon nu tenminste weer wat dieper ademhalen, en de pijn in zijn borst was weg, net als de tintelingen in zijn vingers.
Hij slaakte een diepe zucht en zei met trillende stem: 'Ik dacht even dat ik doodging...'
'Joh, doe niet zo akelig,' schrok Aafke.
'Nou gaat het wel weer, maar m'n hart ging ineens zo tekeer, ik werd er wakker van.'
'Je hart? Moet ik de dokter bellen?'
Tim schudde zijn hoofd. Hij rilde en voelde nu pas hoe koud hij het had. 'Nee, 't gaat wel weer,' herhaalde hij. 'Ik kan beter proberen weer wat te slapen.' Hij kroop over het bed naar zijn helft en schoof onder het dekbed.
Aafke stond even besluiteloos naar hem te kijken en kroop toen ook weer in bed. 'Toch zou ik van de week maar eens langs de huisarts gaan. Misschien is het niks en ben je gewoon wat oververmoeid door al die

toestanden op je werk, maar ik zou het wel een geruststelling vinden als de dokter eens naar je kijkt.'
'We zien wel,' was het antwoord. 'Eerst maar eens slapen.'
Tim zakte van uitputting direct weg in het schemergebied tussen waken en slapen, waar dit keer niet allerlei gedachten hem bezighielden maar waar de mist opnieuw alles bedekte.
Aafke daarentegen was nu klaarwakker. Ze keek op haar wekker: half-drie. Nog vier uur voor ze eruit moest. Hoe zou het dan gaan? Kon Tim zo wel aan het werk straks? En als hij zich ziek meldde, kon zij dan wel gaan werken? De kinderen naar het kinderdagverblijf brengen was geen probleem. Zij werkte van negen tot vijf en Tim van acht tot vier, dus zij zou ze voortaan brengen en Tim zou ze dan ophalen. Ze kon vast wel met haar werkgever regelen dat ze iets eerder naar huis mocht zodat zij de kinderen zelf op kon halen als Tim ziek was. Maar kon ze Tim wel alleen laten als hij hartproblemen had? Stel dat het terugkwam en hij was alleen thuis?
Misschien is het z'n hart niet en is het alleen maar spanning, hield ze zichzelf voor. Hij had de laatste tijd zo'n kort lontje, dat zou het wel zijn. Probeer nou maar te slapen, anders ben je morgenochtend nog verder van huis.
Ze lag een tijdje te woelen maar kon de slaap niet vatten. Ze dacht terug aan wat ze gisteren van Tirza gehoord had. 't Was maar goed dat Tim haar afgekapt had toen ze het wilde vertellen, want anders zou hij nog meer last van spanning krijgen. Of zou dat de oorzaak geweest zijn? Dat hij wist dat er informatie was van zijn vader?
Ze ging in gedachten weer na wat Tirza haar verteld had. 'Ik ben gisteren naar het laatste adres gereden dat we van onze vader hadden. Hans wist ervan, en ik kon Gertjan bij mijn schoonouders brengen. Hans had me wel gewaarschuwd dat ik voorzichtig te werk moest gaan en dat ik niet al te hoge verwachtingen moest hebben. Afijn, ik ernaartoe, het was drie kwartier rijden en ik had het adres zo gevonden. Een twee-onder-een-kapwoning. Ik heb in de auto zitten wachten tot ik beweging in de kamer zag. Ik zag een vrouw de plantjes water geven. Ze keek naar buiten, en toen ben ik meteen uitgestapt en naar het raam

gelopen. Ik gebaarde of ik haar even mocht spreken, en ze keek wel wat wantrouwend maar deed toch de deur open. Ik vertelde haar dat ik Tirza Peters heette, ik was benieuwd of ze zou reageren op die naam, Peters. Ze reageerde echter niet en wachtte tot ik verder zou gaan. Toen vroeg ik of ze Mat Peters kende en ik zei dat dat mijn vader was en dat ik naar hem op zoek was. Ze vertelde toen dat de mensen van wie ze het huis destijds gekocht hadden Peters heetten, en dat die twaalf jaar geleden verhuisd waren naar Gouda, dus vlak bij jullie. Ze had het adres waar ze in het begin de post naar moest doorsturen nog wel ergens liggen, en na even zoeken heeft ze me dat gegeven. Zou jij daar eens willen kijken? Als je het niet wilt moet je 't zeggen, hoor, maar ik dacht... Ik wil het niet aan Tim vragen, die reageert er telkens zo negatief op. Maar ik ben zo benieuwd naar... Ik wil hem graag ontmoeten.'
Aafke had gezegd dat ze het eerst met Tim wilde bespreken, maar die had niet eens willen luisteren.
Wat moest ze nu doen? Moest ze achter zijn rug om Tirza helpen met haar zoektocht? Eigenlijk wilde ze dat niet, maar aan de andere kant was ze zelf ook wel nieuwsgierig naar Tims biologische vader. Het ging uiteindelijk om de opa van haar kinderen, ze hadden ook zijn genen.
Nu Tim tekenen van overspannenheid vertoonde, durfde ze het hem helemaal niet te vertellen. Dan toch maar achter zijn rug? Wie weet werkte het op de lange duur wel positief voor hem. En als hun zoektocht op niets zou uitlopen, of als die man een vreselijke man bleek te zijn, hoefden ze Tim toch niets te vertellen?
Woensdag zou ze Tirza bellen en vragen om het adres. Dan kon ze altijd nog zien wat ze ermee zou doen.

De volgende morgen wilde Tim gewoon naar zijn werk. 'Er is niks aan de hand met me, gewoon wat oververmoeidheid,' zei hij. 'Ben je mal, ik ga me niet ziek melden. Ik ben anderhalve week thuis geweest, ze zien me aankomen. Er ligt vast weer een berg werk op me te wachten, en elke dag dat ik thuis ben wordt die berg alleen maar hoger. Als ik eenmaal weer aan de slag ben, gaat het vast wel weer.'
Aafke had zelf nauwelijks meer geslapen en had geen zin in een oever-

loze discussie. Ze zou haar tijd toch wel nodig hebben op haar eerste werkdag om op tijd de kinderen en zichzelf aangekleed te krijgen. Ze had in elk geval al gedoucht nadat ze Stijn gevoed had. 'Oké, maar maak je dan toch van de week een afspraak met de huisarts? Misschien, als je vandaag belt, kun je er morgen terecht als je vrij bent. Je kunt dan aan de buurvrouw vragen of zij even op de kinderen past.'
'Ik zie wel,' was het vage antwoord van Tim. 'Nou, ik ga, tot vanmiddag. Werk ze.' Hij gaf haar en de kinderen een snelle kus en vertrok.
Aafke keek op de klok. Halfacht. Even over achten wilde ze wegrijden. Ze werkte nog steeds bij haar werkgever in Hoofddorp. Dat was binnendoor maar een halfuurtje rijden, maar ze moest ook de kinderen nog naar het kinderdagverblijf brengen en wilde daar de eerste keer ruim de tijd voor nemen.
'Lisanne, eet eens door, meisje,' maande ze haar dochter. 'Mama gaat jullie straks naar het kinderdagverblijf brengen.'
'Gaat Stijn ook mee?'
'Ja, Stijn gaat ook mee.'
'Mag Jaap ook mee?' Jaap was de nieuwe knuffel die ze met Kerst van opa en oma gekregen had.
'Ja, Jaap mag ook mee.' Zucht.
Het aankleden van Lisanne ging niet zonder slag of stoot. Lisanne wilde per se een broek aan die echter in de was zat, en het kostte Aafke heel wat overredingskracht om dan toch maar de paarse broek bij haar aan te doen. Vlak voordat ze weg wilden gaan, moest Lisanne nog even plassen, bleek Stijn een poepbroek te hebben, en tot overmaat van ramp was er een wegomlegging, zodat Aafke pas tegen halfnegen bij het dagverblijf aankwam.
'Sorry, maar ik moet gelijk door, 't was vanmorgen echt de wet van Murphy, alles zat tegen,' verontschuldigde ze zich bij de leidster van de opvang.
'Het is toch vandaag je eerste werkdag? Ga maar, wij redden het wel,' lachte de leidster. 'Ik zal Stijns voedingen meteen in de koelkast zetten.'
Stijns voedingen! Aafke kon zichzelf wel voor het hoofd slaan. Ze had de laatste paar dagen tussendoor gekolfd zodat Stijn voeding voor op

het dagverblijf zou hebben. Die was ze door de consternatie helemaal vergeten, en de kolfspullen ook.
'Ik ga er meteen om en kom ze zo brengen,' verontschuldigde ze zich. Onderweg naar de auto pakte ze haar mobiel en belde naar kantoor dat ze later kwam. 'Ik leg het straks wel uit, sorry.'
Op de terugweg naar huis foeterde ze op zichzelf. Hoe kon ze zo stom zijn! Een slechte start zo, waar zat ze met haar hoofd?
Ze wist wel waar het van kwam. Ze zat met haar hoofd nog steeds bij het verhaal van Tirza en het feit dat zo dichtbij, in Gouda, misschien het doel van de zoektocht lag. Wat moest ze nu doen?

7

TIM HAD NET HET GROOTSTE GEDEELTE VAN DE MAILS EN DE POST VERwerkt die zich opgestapeld hadden tijdens zijn afwezigheid, toen Sandra, een van de begeleidsters, buiten adem zijn kantoor binnenstormde. 'Tim, Jasper is zoek.'

Hij stond meteen op. 'Wat is er gebeurd?'

Terwijl ze naar een van de woonhuizen liepen, vertelde Sandra hem wat er aan de hand was. 'Jasper had vanmorgen geen zin om naar het activiteitencentrum te gaan, en toen het taxibusje kwam was hij ervandoor. We hebben geen idee welke kant hij op is.'

Tim keek bedenkelijk. Jasper was een van de jongere bewoners, die af en toe flink aan het puberen was. 'Weten de anderen niet waar hij naartoe kan zijn?'

'Wouter lijkt iets meer te weten, maar die wil niets zeggen,' vertelde Sandra.

'Is Wouter er nog, of is de taxibus al weg?' vroeg Tim.

'Ik heb gevraagd of de chauffeur even wilde wachten tot ik jou ingelicht had. Misschien wil Wouter het wel tegen jou zeggen.'

Ze liepen naar de wachtende bus. Wouter zat er al in.

'Wouter, kom er eens uit, jongen,' zei Tim, en tegen de chauffeur: 'Wij zorgen wel dat hij op het activiteitencentrum komt, breng jij de rest maar weg.'

Hij nam de tegensputterende Wouter mee naar zijn kantoor. Sandra liep met hen mee. 'Ga eens even zitten, Wouter,' zei Tim, met meer rust in zijn stem dan hij voelde. Hij ging voor de jongen staan en vroeg: 'Weet jij waar Jasper is?'

Wouter keek met een boze blik naar Sandra. 'Zegt zij dat?'

'Nee, maar Sandra maakt zich net als ik erg bezorgd om Jasper, en omdat Jasper jouw vriend is, denken we dat jij weet waar hij is.'

Wouter haalde zijn schouders op en zei: 'Ik weet het niet.' Hij kneep zijn lippen stijf op elkaar, alsof hij wilde zeggen: flinke jongen die er bij mij iets uit krijgt. Maar de manier waarop hij keek, wekte argwaan bij Tim.

'Weet je het echt niet?' En toen Wouter ontkennend zijn hoofd schudde, zei Tim met een blik op Sandra: 'Dan moeten we de politie maar waarschuwen dat een van de bewoners zoek is.'
Hij zag Wouter schrikken. 'De politie? Maar...'
'Volgens mij weet jij wél iets,' zei Tim streng.
Wouter leek onder de indruk, maar hij aarzelde nog: 'Jasper zei... Ik mocht niks zeggen.' En weer kneep hij zijn lippen op elkaar.
Tim ging op zijn hurken naast Wouter zitten en keek de jongen aan. 'Wouter, nu moet je eens goed naar me luisteren. Jasper is zoek en daar zijn we allemaal heel ongerust over. Misschien heeft hij wel een ongeluk gekregen en heeft hij onze hulp nodig. Ook al heeft Jasper tegen jou gezegd dat je niet mag verklappen wat hij aan het doen is, van mij móét je het vertellen. Wouter, waar is Jasper?'
Wouter sloeg zijn ogen neer en fluisterde: 'Hij is... Hij wou...' Toen keek hij Tim aan en fluisterde: 'Hij is met de trein mee.'
Tim fronste zijn wenkbrauwen. 'Met de trein mee?'
Wouter leek opgelucht dat hij het geheim niet langer voor zich hoefde te houden. 'Ja,' zei hij en hij knikte heftig met zijn hoofd. 'Naar Amsterdam.'
'Met wie?' vroeg Tim verbaasd.
'Met niemand.'
Sandra wist toen meer te vertellen. 'Hij heeft het er inderdaad al een paar dagen over dat hij naar Amsterdam wil, naar Artis.'
'Maar hoe komt hij dan aan geld?' vroeg Tim.
Wouter keek direct weer schuldbewust naar beneden.
'Wouter?' vroeg Tim streng.
'Hij eh... Ik eh...'
Tim ging weer rechtop staan. 'Sandra, heb jij enig idee hoe Jasper aan geld is gekomen?'
Sandra knikte. 'Nu begrijp ik het. In de rapportage stond dat er zaterdag een briefje van vijftig euro ontbrak in de huishoudportemonnee van de groep. Ze dachten dat er misschien een verkeerd bedrag ingeboekt was, maar konden dat niet aan Maaike vragen, die vrijdag gewerkt heeft, want zij was het weekend weg.'

'Wouter, weet jij daar iets van?' vroeg Tim.
Wouter leek door de grond te willen zakken. 'Hij eh...'
Tim gaf onmiddellijk Sandra de opdracht om de politie in te schakelen en het signalement van Jasper door te geven. 'Vertel hun maar dat hij van plan is naar Amsterdam te gaan, misschien staat hij nog op het station.'
'Moeten we zijn vader niet waarschuwen?' vroeg Sandra voor ze wegrende. Jaspers moeder leefde niet meer.
'Dat doe ik zo wel, eerst dit afhandelen,' zei Tim. Hij pakte een stoel en ging tegenover Wouter zitten. 'Nou, biecht maar eens op, wie heeft het geld uit de portemonnee gepakt, jij of Jasper?'

Binnen een uur was Jasper terug op de woonvorm. Wouter had verteld dat ze samen het plan opgevat hadden om naar Amsterdam te gaan: 'We wilden naar Artis toe, naar de giraffen kijken.' Alleen, hoe kwamen ze aan geld? Toen de begeleidster afgelopen zaterdag na het boodschappen doen in een onbewaakt ogenblik de portemonnee op tafel had laten liggen, had Jasper er een briefje van vijftig uit gepakt. Vandaag zouden ze er samen tussenuit knijpen. Maar Wouter had vanmorgen ineens niet meer gedurfd, dus toen was Jasper alleen vertrokken.
Tim wist dat Jasper alles over giraffen spaarde. Heel zijn kamer stond vol met giraffenknuffels, giraffenbeeldjes, bekers met giraffen erop, en overal hingen posters met giraffen.
De hevig geschrokken vader van Jasper, die binnen tien minuten aanwezig was, kon gelukkig al snel opgelucht ademhalen toen het telefoontje van de politie kwam dat zijn zoon terecht was. Hij was aangetroffen vlak voor het station, waar hij heen en weer liep en niet leek te weten wat hij nu verder moest doen.
Samen met de vader bespraken Tim en Sandra hoe ze Jasper duidelijk moesten maken dat hij in de fout gegaan was, en of hij gestraft moest worden voor zijn daad. Maar toen Jasper teruggebracht werd en met gebogen hoofd het kantoor binnenkwam, in afwachting van de uitbrander die ongetwijfeld zou volgen, spreidde de vader zijn armen wijd

uit en omhelsde zijn zoon. 'Wat ben ik blij dat ik je weer zie. Wat ben ik geschrokken! Zul je dat nooit meer doen?'
Tim keek naar het beeld van vader en zoon, en er schoot een steek van jaloezie door zijn hart. Ondanks dat Jasper fout geweest was – want zo kon je het stelen van het geld toch wel noemen, zelfs Jasper met zijn verstandelijke beperking wist dat dat niet mocht – verweet zijn vader hem niets, maar was hij alleen maar blij dat Jasper weer gezond en wel terug was. Zoals de vader in de gelijkenis van de verloren zoon.
Wat had hij, Tim, verkeerd gedaan dat zijn eigen vader hem zelfs niet eens meer wilde zien?

's Middags rond halfvier belde Aafke op zijn mobiel. 'Gaat het weer? Lukt het om straks de kinderen op te halen?'
'Ja hoor, dat lukt wel,' antwoordde Tim. Hij was blij dat Aafke hem belde, door alle commotie van die ochtend zou hij bijna vergeten langs het kinderdagverblijf te rijden. Dat zat niet meer in zijn systeem. Aafke had Lisanne tot nu toe zelf gebracht en gehaald, met Stijn in de kinderwagen. Bovendien bleef het beeld van Jasper en diens vader maar door zijn hoofd spoken.
'Fijn. Het autostoeltje van Lisanne staat op het dagverblijf in de schuur. En eh... als je het niet erg vindt, kom ik een halfuurtje later naar huis, ik was vanmorgen te laat, er zat van alles tegen.'
'Da's goed.' Het drong nauwelijks tot Tim door wat ze zei. 'Tot straks.'
Hij legde de laatste hand aan de maandoverzichten van december en ruimde toen zijn spullen op. Morgen was er weer een dag. O nee, morgen was hij vrij, dan had hij papadag. Als dat maar goed ging...
Hij reed naar het kinderdagverblijf en zette eerst het stoeltje van Lisanne in de auto. Daarna ging hij de kinderen halen. Stijn lag al klaar in de maxi-cosi, maar Lisanne was nog aan het opruimen.
'Is alles goed gegaan?' vroeg Tim aan de dienstdoende begeleidster.
'Prima. Stijn had nog wat moeite met het flesje, maar dat ging van lieverlee steeds beter. En Lisanne vond het prachtig dat Stijn nu bij haar op het dagverblijf is. 'Dat is mijn broertje,' zegt ze steeds, en ze past ervoor op dat niemand te dicht in zijn buurt komt. Gelukkig vond ze

het wel goed dat wij voor hem zorgden.' Ze grijnsde.
Onderweg naar huis kwebbelde Lisanne aan één stuk door. Dat de kerstboom vandaag opgeruimd was, 'en ik heb geholpt'. Dat een jongetje zijn beker melk omgegooid had toen ze gingen eten, 'dom, hè papa, heel zijn broek was nat'. Dat juf Kim jarig geweest was en dat ze daarom piratenhagelslag en prinsessenhagelslag meegebracht had voor op de boterham, 'en ik heb tetuurlijk prinsessenhagelslag uitgekiest, want die is het lekkerst'.
Tim luisterde maar met een half oor. Het was druk op straat en hij had al zijn aandacht bij het verkeer nodig.
Eenmaal thuis legde hij eerst Stijn in zijn bedje en ging toen onderuitgezakt op de bank in de woonkamer zitten. Halfvijf nog maar. Over een uurtje zou Aafke thuis zijn, dus hij kon nog wel even op de bank gaan liggen voor hij aan het eten begon. Lisanne zat lief te spelen met de lego, die kon geen kwaad.
Hij strekte zich uit op de bank en sloot zijn ogen. Even toe kunnen geven aan zijn moeheid. Even dat zware gevoel in zijn schouders niet hoeven voelen. Even nergens aan hoeven denken. Even...
Hij werd wakker doordat Aafke hem ruw tegen zijn schouder duwde. 'Tim!'
'Hè, wat?' Tim keek verward om zich heen. Zijn oog viel op de klok. Kwart over zes?
'Wat ben je laat?' zei hij slaperig.
'Ik had toch gezegd dat ik een halfuurtje later thuiskwam,' zei Aafke. Waarom keek ze zo boos? Ineens wist hij het weer en hij schoot overeind. 'Lisanne?'
Aafke wees naar de hoek van de kamer, waar Lisanne op de grond lag te slapen met haar hoofd op een knuffel en haar duim in haar mond. Boven lag Stijn te huilen.
'Hoe kun je nu in slaap vallen met twee kleine kinderen in huis? Voor hetzelfde geld was er wat gebeurd!' Aafke trok met een kwaad gezicht haar jas uit en gooide die over een stoel. 'Ik ga eerst Stijn voeden, begin jij maar aan het eten. Tjongejonge!' Mopperend liep ze naar boven.
Lisanne was inmiddels ook wakker geworden. Geeuwend kwam ze

overeind. 'Ik moet plassen.'
Tim bleef even op de bank zitten met zijn handen voor zijn gezicht. Hoe had hij zo stom kunnen zijn! Logisch dat Aafke boos was.
Lisanne trok aan zijn arm. 'Papa, ik moet plassen.'
'Ja, papa zal je even helpen.' Hij kwam moeizaam overeind, was stijf van het liggen op de bank. Hij hielp Lisanne en ging even later aan de slag in de keuken. Hij zou maar spaghetti klaarmaken, dat was zo klaar.
Het eten stond net op tafel toen Aafke naar beneden kwam. Ze keek nog steeds boos.
'Lekker thuiskomen is dat! Het was al zo'n lange dag, en dan kom ik thuis, ligt meneer op de bank te slapen terwijl Stijn boven ligt te krijsen.'
'Sorry,' zei Tim schuldbewust. 'Ik was zo moe. Ik wilde alleen maar even gaan liggen, ik was helemaal niet van plan om te gaan slapen.'
'Je mag nog van geluk spreken dat Lisanne niks uitgehaald heeft en ook in slaap is gevallen. Ik hoop dat je morgen beter oplet.' Aafke liet Lisanne haar handjes wassen en zette haar toen in de kinderstoel.
Tijdens het eten hing er een geladen stilte tussen Aafke en Tim. Lisanne had weinig trek, zat maar te geeuwen en stopte tussen de hapjes door haar duim in haar mond. Normaal gesproken kon ze allang zelf eten, maar Aafke moest haar nu helpen, anders kwam er geen hap binnen.
Aafke vond het eigenlijk wel prettig dat ze nu haar aandacht aan Lisanne moest geven, daardoor hoefde ze zich even niet met Tim te bemoeien. Naast boosheid voelde ze toch ook ongerustheid. Tim was altijd de verantwoordelijkheid zelf, dit was niks voor hem. En dan ook nog die moeheid van de laatste tijd, en die toestand vannacht, nee, het ging niet goed met hem.
Na het eten bracht Aafke Lisanne naar boven en ruimde Tim de tafel leeg en de afwasmachine in.
'Heb je nog een afspraak met de huisarts gemaakt?' vroeg Aafke toen ze Lisanne in bed gelegd had.
'Nee, niet aan gedacht, het was zo druk vandaag,' zei hij, en hij vertelde van de zoekgeraakte bewoner. Het beeld van Jasper en zijn vader

hield hij voor zich.
'Heb je nog last van je hart of van pijn op je borst gehad?'
'Nee, ook niet.' Tim verzweeg dat hij 's middags een paar keer last van hartkloppingen gehad had, die hij zelf had geweten aan de spanning over Jasper.
'En als je nu zo moe blijft dat je weer op de bank in slaap valt terwijl je aan het oppassen bent?' Aafkes stem klonk vinniger dan ze bedoelde.
'Dat zal niet meer gebeuren, ik ben er zelf ook van geschrokken. Toe Aaf, ik zei toch al sorry?' Hij kwam naast haar op de bank zitten. 'Hoe was jouw eerste werkdag?'
Aafke haalde haar schouders op. ''t Ging wel, maar ik baalde dat ik al op de eerste dag te laat kwam.' Opeens begon ze te lachen. 'Mooi stel zijn wij. Ik vergeet Stijn z'n voeding en m'n kolfspullen mee te nemen, en jij valt in slaap tijdens het oppassen. Arme bloedjes van kinderen.'
Tim was allang blij dat ze weer lachte. 'Gelukkig is het allemaal goed afgelopen. Laten we het maar op startersproblemen houden, die komen in de beste gezinnen voor.' Hij grinnikte. 'Zou Willem-Alexander ook weleens in slaap vallen tijdens het oppassen als Máxima naar haar werk is?'
Aafke proestte. 'Of zou Máxima ook haar kolfspullen vergeten mee te nemen?'
Ze kreeg ineens de slappe lach. 'Ik zie het al helemaal voor me. President Obama is hier op staatsbezoek, en dan vlak voor het galadiner zegt Máxima tegen Beatrix: 'Wilt u me excuseren, mama, ik moet eerst even gaan kolven...' En zij dan: 'Maar natuurlijk, liefje, we wachten wel tot je klaar bent.''
Tim lachte met haar mee, opgelucht dat de spanning tussen hen weg was.
De avond verliep verder gezellig. Aafke overwoog even of ze Tim toch zou inlichten over de vraag van Tirza, maar ze wilde niet dat ze weer boos zouden worden op elkaar. Het kwam al zo zelden meer voor dat ze samen een gezellige avond hadden. Tim was vaak bezig zijn werk voor de volgende dag voor te bereiden, of hij was zo moe dat hij al om negen uur naar bed wilde. Nee, nog maar niet vertellen, eerst maar

eens zien hoe het liep.
Beiden sliepen die nacht als een roos. Toen Tim de volgende morgen wakker werd, keek hij verbaasd op de wekker. Dat was een lekker nachtje! Zie je wel, hij mankeerde niks, 't was alleen maar een tijdelijk dipje. Vanaf nu ging het weer bergopwaarts!
Even overviel hem het besef dat hij vandaag alleen voor de kinderen moest zorgen, maar hij probeerde dat direct van zich af te schudden. Kom op, na zo'n nacht kon hij de hele wereld weer aan. Hij moest niet zo lopen tobben, gewoon er flink tegenaan gaan, niet zo kinderachtig!
Aafke leek gerustgesteld toen hij haar op haar vraag verzekerde dat het goed zou gaan. 'Ga nou maar, anders kom je vandaag weer te laat.'
De dag verliep zonder noemenswaardige problemen, en toen Aafke in haar middagpauze toch wel benieuwd – en met het schrikbeeld van een in slaap gevallen Tim nog in haar achterhoofd – belde met de vraag hoe het ging, kreeg ze een enthousiaste Lisanne aan de telefoon: 'Papa en ik zijn koekjes aan het bakken!'
Aafke legde met een zucht van verlichting de hoorn neer. Hè, gelukkig ging het goed. Ze had er heel de ochtend toch wel over in gezeten. Tim had waarschijnlijk gelijk gehad, het was alleen een kwestie van slaapgebrek geweest.
Met een geruster hart ging ze weer aan het werk.

8

DE VOLGENDE DAG BELDE AAFKE NAAR TIRZA.
'Ik heb nagedacht over je vraag. Eerst heb ik nog geprobeerd het met Tim te bespreken, maar die wilde er niets over horen. Maar ik ben toch zelf ook nieuwsgierig genoeg om dan maar zonder hem te gaan kijken. Geef me dus het adres maar.'
'Fijn, bedankt!' was Tirza's reactie. Ze noemde haar een adres in het centrum van Gouda. Aafke kende die buurt wel, een van haar vriendinnen woonde er vlakbij.
Ze had met Lobke afgesproken dat ze vandaag met de kinderen bij haar zou komen lunchen, het zou maar een klein eindje om zijn om eerst langs dat adres te rijden.
Rond een uur of elf vertrok ze met de kinderen naar Gouda. Het bewuste adres was snel gevonden, een rijtjeshuis in een wat kleurloze buurt. Aafke parkeerde aan de overkant van de straat en keek naar het huis. Zou die man daar nog wonen? Het was alweer twaalf jaar geleden, had Tirza verteld. Wat moest ze nu doen? Aanbellen? Ze aarzelde; zomaar bij wildvreemde mensen aanbellen was niks voor haar. Maar hoe kwam ze er dan achter of die man daar nog woonde?
Ze bedacht ineens dat ze natuurlijk ook vooraf in de telefoongids op internet had kunnen kijken of er ene Peters geregistreerd stond op dit adres. Stom dat ze daar niet eerder aan gedacht had.
Lisanne werd ongeduldig. 'Waar gaan we naartoe?' vroeg ze. 'Hier woont toch niet tante Lobke?'
'Nee schat, hier woont tante Lobke niet, maar mama moest even iets zoeken.' Aafke keek weer naar het huis. Ze zag binnen geen enkele beweging. In het huis ernaast schoof de vitrage opzij en zag ze een vrouw nieuwsgierig naar haar kijken. In de verte blafte een hond.
Aafke schraapte al haar moed bij elkaar en deed haar gordel los. 'Mama gaat even bij dat huis kijken, ik ben zo terug,' zei ze tegen Lisanne. Stijn lag te slapen.
Toen ze voor het huis stond, zag ze dat er geen naambordje op de deur zat. Ze belde aan en luisterde of ze een teken van leven hoorde. Niets.

Ze belde nog eens aan en keek daarna tersluiks door het raam naar binnen. Een wat rommelige kamer met speelgoed en zelfs een box. Zou hij weer kinderen hebben? Ook een vreemd idee als dat waar zou zijn, dat hij kinderen had in dezelfde leeftijd als die van Tim en haar. Nog steeds geen geluid. De nieuwsgierige buurvrouw hield haar vanachter de vitrage in de gaten. Bemoeizuchtig mens...
Ze liep weer terug naar de auto, waar een ongeduldige Lisanne wachtte. 'Gaan we nou!'
Nadat ze weer ingestapt was, reed ze de straat uit. Ze zou vanmiddag op de terugweg nog eens langsrijden. Als er kinderen waren, waren die op woensdagmiddag vrij, misschien was er dan wel iemand thuis.

Lobke stond al op de uitkijk. Aafke bevrijdde Lisanne uit haar stoeltje en zette haar op de stoep. Terwijl ze daarna de maxi-cosi met Stijn uit de auto haalde, rende Lisanne op Lobke af. 'Ha, tante Lobke, ik heb gisteren koekjes gebakt met papa, en ik heb voor jou ook een paar meegeneemt.'
'Meegenomen,' corrigeerde Aafke automatisch. Ze sloeg een arm om Lobkes schouders en knuffelde haar. 'Dag zusje. Hoe is 't?'
'Goed, hoor.' Lobke hielp Lisanne uit haar jas en ging hun voor naar de huiskamer. De tafel was al gedekt.
'Heb je ook roze pasta, tante Lobke?' vroeg Lisanne. Roze pasta was iets dat ze alleen bij tante Lobke kreeg. Aafke, die helemaal geen zoetekauw was, gruwde al als ze de felroze en witte pasta alleen nog maar zag, die kwam dus nooit bij hen in huis.
'Ja hoor,' lachte Lobke, 'er is ook roze pasta. Die heeft tante Lobke speciaal voor jou gekocht.'
Stijn was inmiddels wakker geworden. 'Ik ga eerst hem maar even voeden, dan kunnen we straks rustig eten,' zei Aafke.
'Dan mag jij tante Lobke helpen met de broodjes. Ga je mee naar de keuken?' vroeg Lobke aan Lisanne. Lisanne huppelde met haar mee, babbelend over die lekkere koekjes die ze meegebracht had. Ze telde ze af op haar vingertjes: 'Eén, twee voor jou, en één, twee voor ome Roel.'
Even later zaten ze met z'n drietjes aan tafel. Lisanne had eerst een

boterham met smeerkaas gegeten en zat nu stilletjes te smikkelen van een boterham met roze pasta.
'Hoe is 't?' vroeg Aafke. 'Je ziet een beetje witjes?'
'Ik heb vorige week buikgriep gehad, spugen en diarree,' zei Lobke. 'En ik moet ongesteld worden, 't zit er vlak tegenaan, ik heb elke keer zo'n zeurderig gevoel in mijn buik.' Ze wreef over haar onderbuik.
'Zit daar nou enige regelmaat in?' vroeg Aafke.
Lobke schudde haar hoofd. 'Nee, daar is geen peil op te trekken. Soms zit er vijf weken tussen, maar meestal duurt het veel langer voor ik het weer krijg, zo'n vier tot vijf maanden.'
Toen Aafke vorig jaar ontdekte dat ze zwanger was van haar tweede kindje, durfde ze dat eerst nauwelijks aan Lobke en Roel te vertellen, omdat ze wist dat die ook een sterke kinderwens hadden. Lobke had toen verteld dat ze diverse onderzoeken gehad had bij de gynaecoloog, maar dat hij hun meegedeeld had dat de kans op een zwangerschap miniem was. Door de chemo waren Lobkes eierstokken beschadigd en mede daardoor produceerden ze minder hormonen, waardoor er geen eisprong plaats kon vinden. Het meest waarschijnlijk was dat ze vervroegd in de overgang zou raken.
'Ben je nog steeds onder behandeling van de gynaecoloog?' vroeg Aafke.
'Nee, dat had geen zin, hij kon er toch niets aan veranderen.' Lobke zuchtte even.
'Hebben jullie weleens adoptie overwogen?' vroeg Aafke aarzelend. 'Ik bedoel... Nou ja, omdat jullie toch een kinderwens hebben?'
Lobke knikte. 'Daar hebben we het lang en breed over gehad. Toevallig hebben we twee weken geleden informatie ingewonnen over hoe zoiets in zijn werk gaat. Dat blijkt een lange weg te zijn, er staat soms wel acht tot tien jaar voor. Bovendien zijn er landen waar ik niet eens in aanmerking kom voor adoptie, omdat ik kanker gehad heb.'
'Wat is dat nou weer voor belachelijks!' zei Aafke verontwaardigd. 'Daar kun jij toch niets aan doen?'
'Nee, maar ze willen zeker weten dat je voor die kinderen kunt zorgen tot ze volwassen zijn, en die garantie kun je niet geven als je

kanker hebt gehad.'
'Wat een flauwekul,' zei Aafke. 'Niemand kan die garantie geven. Iedereen kan toch kanker krijgen? Of een andere ernstige ziekte, of een ongeluk, of een scheiding. Dan zou niemand meer kinderen kunnen adopteren. Je zou toch zeggen dat het belangrijkste is dat je hart op de goede plaats zit, in plaats van garanties voor een lang leven te vragen.'
Lobke haalde haar schouders op. 'Dat lijkt mij ook, maar ja, ik kan me dat van hun kant ook wel voorstellen. In sommige landen mag het trouwens wel, maar dan moet je vijf of tien jaar kankervrij zijn.' Even was het stil.
Aafke dacht aan een gezin dat bij een van haar collega's in de straat woonde. Daar waren in zes jaar tijd vijf kinderen geboren, die nu tussen de twee en de acht jaar waren. Een halfjaar geleden waren ze allemaal uit huis geplaatst omdat de ouders hen niet aankonden. De kinderen zwierven hele dagen over straat, terwijl de ouders voor de tv hingen of in bed lagen. Die ouders waren het niet eens geweest met de uithuisplaatsing en waren daar erg verdrietig over geweest, maar nu had haar collega vorige week verteld dat de moeder van het gezin haar onlangs bij de supermarkt had aangehouden en verteld had dat ze weer zwanger was. 'Fijn hè, dan hebben we toch weer een kindje,' had ze blij gezegd. Er had zich toen tussen de collega's een hele discussie ontwikkeld over het recht om kinderen te krijgen. Een discussie waar Aafke niet aan meegedaan had, maar waarbij ze wel aan Lobke en Roel had moeten denken.
'Roel en ik zijn er ook nog niet uit of we wel een kind willen adopteren,' ging Lobke verder. 'Hier in de straat is een gezin met twee adoptiekinderen, en daar zijn steeds problemen mee, die ouders lopen zo ongeveer op hun wenkbrauwen van de zorgen. Nu weet ik wel dat er ook genoeg verhalen zijn over adopties die wel goed gaan, maar toch... Ik weet het nog niet.'
'Opperdepop!' onderbrak Lisanne hen en ze liet haar lege bordje zien. 'Mag ik nog een boterham met roze pasta?'
'Nee, eentje is genoeg. Je mag nog wel een plakje koek,' zei Aafke.
'Oké,' zei Lisanne met een trieste zucht. Aafke en Lobke lachten.

‘Met of zonder boter?’
‘Eh... zonder boter. Nee, met boter. Of eh... met roze pasta?’ vroeg Lisanne met haar liefste stemmetje.
Aafke lachte. ‘Lekkerbekje. Nee, de roze pasta is alleen voor op de boterham.’
‘Lekkerbekje,’ schaterde Lisanne. Dat was een leuk nieuw woord!
‘Hoe is ’t met jou?’ vroeg Lobke toen aan Aafke. ‘Je bent van de week toch weer gaan werken?’
‘Ja, maar ik had een slechte start,’ antwoordde Aafke en lachend vertelde ze van haar vergeetachtigheid op die eerste werkdag. ‘Ik kan er nu om lachen, maar ik vond het toen zo vervelend. Gisteren ging het een stuk beter, maar toen hoefde ik de kinderen niet weg te brengen omdat Tim papadag had.’
‘Hoe is het met Tim?’ vroeg Lobke toen. ‘Ik vond hem er moe uitzien met Kerst.’
‘Dat was hij ook,’ zei Aafke. ‘Maar nu gaat het weer wat beter.’
‘Druk op het werk zeker?’
Aafke vroeg zich af of ze Lobke deelgenoot zou maken van de zoektocht naar Tims biologische vader. Ze besloot dat toch maar niet te doen, zeker niet nu Tim ook nog van niets wist.
‘Ja, erg druk,’ zei ze daarom. Ze keek op haar horloge. ‘Zo laat alweer? We moeten weer gaan, ik moet om halfdrie op het consultatiebureau zijn met Stijn.’
‘Het is pas één uur, je hebt toch nog wel tijd voor een kopje thee?’ vroeg Lobke.
Maar Aafke kreeg ineens haast. Als ze nog langs Gouda wilde rijden, moest ze nu weg. ‘Nee, een ander keertje graag. Lisanne, ga je schoenen maar pakken.’
Even later zaten ze in de auto, nagezwaaid door Lobke, die zich verbaasd afvroeg waarom Aafke ineens zo’n haast had.
Eenmaal weer in Gouda reed Aafke naar het inmiddels bekende adres. Dit keer was er wel iemand aanwezig, ze zag dat de televisie aanstond. Wat zou ze doen? Aanbellen, net als Tirza, en zeggen dat ze op zoek was naar de heer Peters?

Haar nieuwsgierigheid won het van haar verlegenheid. Ze keek achterom: Stijn lag te slapen, Lisanne zat met haar duim in haar mond.
'Mama is zo terug,' zei ze. Ze stapte uit, liep voor de tweede keer naar de deur toe en belde aan.
Een jochie van een jaar of vijf deed open. 'Is je mama thuis?' vroeg Aafke.
Hij knikte, maar zei verder niets, staarde haar alleen aan.
'Wil je mama dan even roepen?' vroeg Aafke.
'Roan, wie is daar?' hoorde ze een stem van boven roepen.
'Een mevrouw,' riep het jochie. Hij bleef Aafke aanstaren.
Aafke hoorde gestommel en even later kwam een jonge vrouw de trap af met een peuter op haar arm. Ze keek wat wantrouwig naar Aafke. 'Ja?' vroeg ze.
Aafke stak haar hand uit. 'Dag, ik ben Aafke Peters,' stelde ze zich voor. Het jochie verdween weer naar de huiskamer.
De vrouw drukte de uitgestoken hand. 'Marrie van Leersum.'
Geen Peters dus, schoot het door Aafke heen. 'Mag ik je wat vragen?' En toen de vrouw knikte, vervolgde ze: 'Ik ben op zoek naar Mat Peters, zegt die naam je iets?'
De vrouw schudde haar hoofd. 'Nee, zegt me niks.'
'Ik heb begrepen dat hij hier gewoond heeft,' zei Aafke.
'Ik weet niet hoelang dat geleden is, maar dat kan best,' zei Marrie. 'Wij wonen hier pas drie jaar.'
'Nee, dat zou wel zo'n twaalf jaar geleden zijn geweest,' zei Aafke teleurgesteld.
'Waarom zoek je hem?' vroeg Marrie.
'Hij is mijn schoonvader en we zijn hem een tijd geleden uit het oog verloren.' Dat was wel genoeg informatie, dacht Aafke, het fijne ervan hoefde de vrouw niet te weten.
'Misschien dat de mensen die hiernaast gewoond hebben iets meer weten, die hebben hier heel lang gewoond,' wist Marrie te vertellen. 'Zij wonen sinds twee maanden hier vlakbij in een aanleunwoning van het bejaardentehuis. Zal ik je hun adres geven?'
Aafke knikte gretig. 'Graag! Dat zou fijn zijn.'

'Momentje, even dit mannetje in de box zetten, dan zal ik het voor je opschrijven.' Marrie liep weg en kwam even later terug met een papiertje waarop het adres van de vorige bewoners stond. 'Ze heten De Bruine. Die aanleunwoningen zijn hier de straat uit, eind van de straat rechts, doorrijden tot de stoplichten en dan direct voorbij de stoplichten aan je linkerhand.'
'Geweldig, hartstikke bedankt!' zei Aafke dankbaar. Ze gaf Marrie een hand en liep terug naar de auto.
'Succes!' riep Marrie haar na.
'Bedankt!'
Aafke keek op haar horloge. Kwart voor twee. Om halfdrie moest ze op het consultatiebureau zijn, en het was een klein halfuur naar Boskoop. Geen tijd dus om vandaag nog langs het echtpaar De Bruine te gaan. Dat moest dan maar een andere keer. Maar ze kon al wel Tirza op de hoogte stellen als ze straks thuiskwam.

Tirza was blij met haar telefoontje. 'Fijn dat je dat wilt doen,' zei ze. 'Het is voor jou toch een stuk dichterbij dan voor mij.'
'Ik word eerlijk gezegd ook steeds nieuwsgieriger naar hem,' zei Aafke. 'Raar idee toch, dat je niet eens weet hoe hij eruitziet.'
'Volgens Trea was het wel een knappe man, tenminste, wat zij zich nog van hem kan herinneren.'
'Tuurlijk, kijk maar naar jullie,' grapte Aafke.
Tirza lachte. 'Tja, jouw knappe man moet dat toch van iemand hebben. Hoe is het trouwens met hem? Ik vond hem er moe uitzien met Kerst.'
'Ja, dat zei mijn zusje ook al. Hij heeft het erg druk gehad op zijn werk, en doordat Stijn in het begin vaak kwam 's nachts, schoot onze nachtrust er nogal eens bij in.'
'Houd maar op,' lachte Tirza, 'ik weet er alles van. Nou, doe m'n broer de groeten en laat me weten wat het volgende adres opgeleverd heeft.'
'Doe ik. Dat wordt wel pas op z'n vroegst aan het eind van de maand. Ik heb beloofd om mee te helpen met de fancy fair die het kinderdagverblijf morgen houdt in verband met hun vijfjarig bestaan, volgende

week woensdag ga ik naar m'n ouders en Sanne, en volgende week donderdag komt een vriendin langs, en de week daarna lukt het ook niet. En omdat Tim nog van niks weet, wil ik het niet in een weekend doen.'
'Da's goed, hoor, het komt niet op een dag,' zei Tirza.
'Oké, groeten aan Hans en knuffel Gertjan van me.'
Aafke legde met een bedenkelijke blik de hoorn neer. Het begon andere mensen dus ook al op te vallen dat Tim er moe uitzag. Haar moeder had onlangs eveneens een opmerking in die richting geplaatst. Toch maar goed in de gaten houden.

9

De tweede aanval overviel Tim anderhalve week na de eerste, kwam net zo onverwachts en was zo mogelijk nog heviger. Tim stikte bijna van benauwdheid, zijn hart ging als een razende tekeer, zijn vingers tintelden, het klamme zweet brak hem uit, hij had een beklemmend gevoel op zijn borst, was licht in zijn hoofd, en het angstgevoel dat hij doodging viel in golven over hem heen.
Na de aanval lag hij rillend naast Aafke. Die wilde al 112 bellen, maar hij had haar tegengehouden. 'Niet... 't zakt wel weer...'
'En nu maak ik morgenochtend zelf een afspraak voor je met de huisarts,' zei Aafke ongerust. 'Ik wil dat hij je eens goed onderzoekt, of dat hij je anders doorstuurt naar een cardioloog.'
Tim had de fut niet om tegen te sputteren. 'Je doet maar.' Het angstgevoel wilde nog niet echt wegzakken, en zijn hart maakte af en toe een raar sprongetje. Hij maakte zich nu toch ook wel ongerust. Stel dat hij het aan z'n hart had? Je hoorde het wel vaker van jonge mensen. Als hij doodging, hoe moest het dan met Aafke en de kinderen? De gedachte versterkte de angst weer, en hij probeerde zo rustig mogelijk te ademen om toch nog enigszins controle te hebben. Hij had gemerkt dat als z'n hart op hol sloeg, het soms hielp als hij zijn adem inhield na een grote hap lucht. Dan bonsde z'n hart ineens twee of drie keer heel langzaam en heel hard, en dan zakte het weer naar een normaler tempo. Hij moest dan zelfs de neiging bedwingen om zijn pols te voelen óf het nog wel sloeg.
Hij had geen idee of er hartproblemen in de familie voorkwamen. In elk geval niet aan zijn moeders kant, dat wist hij wel. Maar ja, buurman Marijn had ook nooit klachten gehad, en die was toch gestorven aan een hartstilstand.
Buurman Marijn... Wat jammer toch dat hij nooit afscheid van hem had kunnen nemen. De laatste keer dat ze elkaar zagen, was toen buurman geholpen had met Tims verhuizing naar de studentenflat. De week daarna belde Tirza hem dat de buurman plotseling overleden was. Tirza was met hem mee geweest naar de begrafenis. Zijn

moeder niet. 'Ik trek dat niet, ik kan daar slecht tegen.' Eigenlijk kon zijn moeder overal slecht tegen.
Nee, dan zijn schoonmoeder. Dat was tenminste een fijn mens. Hij had haar al vanaf het begin een sterke, warme vrouw gevonden. Zijn schoonvader was wat afstandelijker, een aardige man, maar niet iemand bij wie hij zijn hart zou uitstorten, zoals bij buurman Marijn. Buurman Marijn, die aan een hartstilstand overleden was...
Aafke had gelijk, hij moest toch maar eens naar de huisarts. Maar ja, stel dat er uit onderzoek naar voren kwam dat hij iets aan zijn hart had? Kon hij dan wel blijven werken? De hypotheek van hun huis was berekend op twee inkomens, als hij zonder werk kwam te zitten, hadden ze een probleem.
Zou je door stress op het werk het aan je hart kunnen krijgen? Nou, stress was er genoeg. De ene bezuinigingsronde was nog niet eens afgerond of de volgende stond alweer voor de deur. Het afgelopen jaar had hij al met een tekort afgesloten, hoe moest dat dan dit jaar? Bij die medewerkster die geopereerd was, waren verscheidene complicaties opgetreden, zij was voorlopig nog niet terug. En de griepgolf die elke winter wel een keer plaatshad deed nu de ronde. Ze hadden begin deze week zelfs een beroep moeten doen op een uitzendbureau, wat verre van ideaal was, vooral voor de bewoners. Zo'n wildvreemde uitzendkracht kwam dan voor een paar uurtjes op de groep, waarbij het soms leek alsof de bewoners haar hielpen in plaats van andersom. Vooral Jasper maakte vaak misbruik van zo'n situatie.
Jasper. Tim zag weer voor zich hoe Jaspers vader zijn handen uitstrekte naar zijn zoon, en hoe Jasper zijn gezicht tegen zijn vaders borst gevlijd had. Hij voelde weer de steek van jaloezie. Jasper wel...
Buurman Marijn was goed voor hem geweest, hij had Tim geregeld complimenten gegeven en af en toe gaf hij hem een klap op zijn schouder of sloeg hij een arm om Tim heen. Maar nooit hadden ze elkaar omhelsd, zoals Jasper en zijn vader dat deden, en nooit had Tim zijn gezicht tegen buurmans borst gelegd. Dat deed buurman trouwens ook niet met zijn eigen zoons, die gaven elkaar alleen maar een hand bij verjaardagen. Terwijl buurman toch een hartelijke man

was geweest. Buurman Marijn...
Tim zakte weg en droomde van de buurman, die zijn armen uitstrekte naar hem, maar net toen Tim zich in die wijd open armen wilde storten, loste buurman op in de mist en viel Tim hard op de grond. Hij schrok wakker, maar zakte daarna weer weg.
Aafke lag nog steeds wakker en voelde hem naast zich schrikken. Ze zag zijn benauwde gezicht weer voor zich en durfde niet meer in slaap te vallen. Stel dat Tim het echt aan zijn hart had? Zou ze het merken als hij in zijn slaap een hartaanval kreeg? De vader van een van haar vriendinnen was 's nachts in zijn slaap overleden, zijn vrouw merkte dat pas toen ze 's morgens wakker werd. Die man was weliswaar al in de vijftig geweest, maar dat was voor deze tijd toch ook niet echt oud. Tim was nu tweeëndertig. Kon je het dan al aan je hart krijgen?
Pas tegen de ochtend viel ook zij in een onrustige slaap.

Ondanks Aafkes protesten ging Tim die dag toch aan het werk. 'Ik heb een belangrijke vergadering vanmorgen, en vanmiddag twee functioneringsgesprekken die al een keer uitgesteld zijn. En 't gaat nu toch weer?'
Aafke liet zich echter niet geruststellen en ze regelde die ochtend toch een afspraak met de huisarts. Ze belde Tim tussen de middag. 'Je kunt morgenochtend om halfnegen terecht, dus dan moet je maar op je werk zeggen dat je morgen wat later komt.'
'Is goed,' zei hij.
En dus zat Tim de volgende dag in de spreekkamer van de huisarts. Op de vraag 'Wat zijn de klachten?' vertelde Tim dat hij de laatste tijd last had van hartkloppingen, en soms van pijn op de borst. Terwijl de huisarts hem onderzocht, vroeg hij naar Tims werk. 'Druk zeker, net als overal in de zorg?'
Tim knikte. De arts was tevens als huisarts verbonden aan het bejaardentehuis, wist hij, en daar zou hij ook wel de nodige verhalen horen over bezuinigingen en dergelijke.
'Nou, ik hoor alleen een kleine ritmestoornis, maar dat komt wel vaker voor bij spanningen. Hoe gaat het met slapen?'

'Niet zo best. Sinds de geboorte van Stijn slaap ik nogal rommelig, ik lig vaak wakker. En die hartkloppingen doen er ook geen goed aan.'
'Heb je ze ook 's nachts?'
Tim knikte. 'Ik heb het nu al twee keer zo erg gehad dat ik er midden in de nacht wakker van word. Ik voel me dan echt akelig, heel benauwd en zo.'
De arts ging rechtop zitten. 'Vertel eens verder, wat gebeurt er dan?'
Tim beschreef wat er op zo'n moment 's nachts gebeurde. 'En dan ben ik bang dat ik doodga,' besloot hij zijn verhaal.
'Dat klinkt als een aanval van hyperventilatie,' zei de arts. 'Dan adem je sneller en dieper dan normaal. Daardoor krijg je te veel zuurstof binnen en heb je te weinig koolzuur in je bloed.'
'Te veel zuurstof?' vroeg Tim verbaasd. 'Zo voelt het niet, ik heb het dan juist benauwd en heb het gevoel dat ik geen lucht krijg.'
De arts knikte. 'Dat is een bekend verschijnsel bij mensen die last hebben van hyperventilatie. Er is een eenvoudig foefje om het evenwicht tussen koolzuur en zuurstof weer in balans te krijgen: in- en uitademen in een papieren of plastic zakje. Daardoor adem je het uitgeademde koolzuur weer in.'
'Ik krijg het alleen door dat idee al benauwd,' zei Tim. 'Ik bedoel, ik krijg dan al geen lucht, en dan krijg ik toch nog minder lucht?'
'In de uitgeademde lucht zit nog zuurstof genoeg. Probeer het maar eens, de eerstvolgende keer dat je er last van hebt,' zei de arts. 'Het is een probaat middel. Je kunt ook een kommetje van je handen maken of via een opgerolde krant uitademen. Nogmaals: het gaat erom dat je weer genoeg koolzuur in je bloed krijgt, daardoor verdwijnen de verschijnselen vanzelf.'
Hij keek Tim ernstig aan. 'Hyperventilatie is vaak een gevolg van stress. Tob je ergens over?'
Tim haalde zijn schouders op. 'Niet specifiek. Er gaat dan wel van alles door m'n hoofd, maar ik geloof niet dat daar een lijn in zit.'
'Neem je je werk mee naar huis?'
'Af en toe. Ik schrijf weleens een verslag thuis, of bereid een vergade-

ring of een functioneringsgesprek thuis voor, daar is het op het werk soms te druk voor.'
De huisarts schudde zijn hoofd. 'Toch zou je dat niet moeten doen, dan ga je 's avonds met het werk in je hoofd naar bed, en kom je er niet los van. Zo ben je vierentwintig uur per dag met je werk bezig. Probeer 's avonds zo veel mogelijk te ontspannen.' Hij lachte. 'Nu kan het nog, als je kinderen wat groter zijn lukt dat niet meer zo makkelijk.'
Tim lachte ook, hij wist dat de huisarts zelf drie puberzonen had.
'Ik zal je voor alle zekerheid doorsturen naar de cardioloog, die zal je uitgebreider onderzoeken. Komen er hartproblemen in de familie voor?'
Tim haalde zijn schouders op. 'Geen idee, dokter. In elk geval niet aan m'n moeders kant, maar van m'n vaders kant weet ik het niet, daar hebben we geen contact mee.'
'En dat is niet te achterhalen?' vroeg de arts.
Tim dacht aan de opmerking van Tirza en voelde meteen een felle weerstand opkomen. 'Nee,' zei hij stug.
De arts vroeg niet verder door en overhandigde Tim een verwijskaart. 'Je moet zelf een afspraak maken via het nummer van de poli, dat staat erop.'
Hij vulde nog een formulier in. 'En ga ook maar langs het lab om bloed te laten prikken. Hyperventilatie kan namelijk ook lichamelijke oorzaken hebben. En dan wil ik je over twee weken weer terugzien. Doe de komende week rustig aan en drink niet te veel koffie, zeker niet 's avonds. Mochten die slaapproblemen aanhouden, dan kunnen we altijd nog proberen of tijdelijke medicatie een oplossing is, maar daar wil ik niet meteen mee beginnen.'
Voor Tim naar het werk ging, reed hij eerst langs het laboratorium. Toch wel goed dat Aafke doorgezet had, ging het door hem heen. Hij belde Aafke zodra hij weer buiten stond. 'Hoi, met mij. De dokter kon niet echt iets vinden, hij denkt dat het van de drukte op het werk kan komen. Ik heb een verwijskaart gekregen voor de cardioloog en ik heb bloed moeten laten prikken, ik kom net uit het lab.'

'Hè, gelukkig,' hoorde hij Aafke zuchten. 'Bedankt dat je even gebeld hebt. Tot vanavond.'

Tim kon na een week terecht bij de cardioloog. Die onderzocht hem uitgebreid, liet een ecg in rust en een inspannings-ecg maken, en ook werd er een vierentwintiguurs-ecg gemaakt, waarbij Tim vier elektrodes opgeplakt kreeg die verbonden waren met een recorder die hij in een heuptasje meedroeg. Hij moest daarbij zijn gewone dagelijkse bezigheden doen en in een meegeleverd dagboekje aantekenen of en wanneer hij last had van hartkloppingen of een overslaand hart. De uitslag daarvan werd besproken bij de huisarts, waar Tim na twee weken weer een nieuwe afspraak had.
'Er zijn geen afwijkingen ontdekt,' vertelde de arts. 'Ook de bloeduitslagen laten geen verontrustende dingen zien. Hoe is het nu met je?'
Tim was er vast van overtuigd geweest dat er een slechte uitslag zou zijn, het drong nog niet echt tot hem door wat de arts zei. 'Geen afwijkingen, zei u? Waar komen die klachten dan vandaan? Want ik heb nog steeds last van hartkloppingen, ze komen steeds vaker, en de afgelopen week heb ik twee keer zo'n aanval 's nachts gehad.' Hij keek de arts ongerust aan.
'Nu uitgesloten is dat er een lichamelijke oorzaak is voor die klachten, kunnen we ervan uitgaan dat er een psychische oorzaak is. Die zullen we moeten zien te achterhalen,' zei de arts.
'Maar die hartkloppingen kunnen toch nooit goed zijn? Zijn die niet gevaarlijk? Kan ik het daar niet van aan mijn hart krijgen?'
De arts schudde zijn hoofd. 'Hyperventilatie is erg vervelend, maar niet gevaarlijk. Je kunt het zien als een vicieuze cirkel: door psychische oorzaken krijg je last van hyperventilatie, daardoor ervaar je angst, die angst zorgt ervoor dat je ademhaling nog ongecontroleerder wordt, waardoor de kans op een aanval alleen maar toeneemt. Het is dus zaak om die vicieuze cirkel te doorbreken.'
Tim was nog niet overtuigd. 'Maar er zijn bij mij helemaal geen redenen om psychische klachten te hebben. Ik heb een fijne vrouw, twee prachtige kinderen, geen financiële problemen, we hebben het goed.

Oké, 't is druk op mijn werk, maar dat geldt voor mijn collega's ook, en die hebben er toch ook geen last van? Er moet gewoon een lichamelijke oorzaak zijn.' Wat bazelde die dokter nou over psychische klachten? Kijk maar naar buurman Marijn, dat was een rustige, evenwichtige man geweest, niks geen psychische klachten, maar die ging wel ineens dood aan een hartstilstand.

'Misschien moet je je eens een tijdje ziek melden,' stelde de arts voor. 'Het gewoon eens een week of twee rustig aan doen.'

'Ja, en als ik dan terugkom is de berg werk alleen maar hoger geworden en moet ik er weer extra hard tegenaan. Nee, dat is geen oplossing. Geeft u me dan maar wat slaaptabletten mee zodat ik in elk geval aan m'n nachtrust kom.' Tim wond zich op. Hoe kon die dokter nou voorstellen dat hij zich ziek moest melden? Hij had toch net verteld dat hij lichamelijk niks mankeerde?

'Ik wil niet al meteen met slaapmedicatie beginnen,' zei de arts. 'Daar raak je snel aan verslaafd. Ik denk dat je meer gebaat zou zijn bij ademhalingsoefeningen. Of misschien dat een psycholoog...'

'Een psycholoog? Ik ben toch niet gek!' viel Tim de arts boos in de rede.

'Heel veel mensen ervaren weerstand om naar de psycholoog te gaan,' zei de arts rustig. 'Maar ook heel veel mensen hebben er baat bij. Die stressklachten komen ergens vandaan en een psycholoog kan je helpen om de achterliggende factoren boven tafel te krijgen, zodat je daarmee aan de slag kunt. Denk er maar eens rustig over na, heb het er eens met je vrouw over. Maak maar weer een afspraak voor over twee weken.'

Tim liep kwaad de spreekkamer uit. Een psycholoog! Hij had geen psycholoog nodig, alleen wat slaapmedicatie, maar die kreeg hij niet. Misschien hadden ze wel wat bij de drogist, hij zou na het werk eens langsgaan. Een psycholoog! Hoe verzon die dokter het...

10

AAFKE PARKEERDE HAAR AUTO VOOR DE AANLEUNWONING EN STAPTE uit. In de kleine tuin bloeiden sneeuwklokjes, de narcissen kregen al knoppen en zelfs in de krokussen waren al gekleurde puntjes zichtbaar. Hè, heerlijk, zichtbare tekenen van het naderende voorjaar! Daar had ze nu meer dan ooit behoefte aan. Lekker naar buiten kunnen met de kinderen. En Tim zou er misschien ook van opknappen.

De laatste weken was het slecht weer geweest en had ze noodgedwongen binnen doorgebracht. Tim ging er steeds slechter uitzien, maar hij weigerde zich ziek te melden. 'De dokter zegt dat ik niks mankeer, het gaat vanzelf wel over.' Hij had ook geen vervolgafspraak gemaakt met de huisarts. 'Daar schiet ik toch niks mee op.'

Bij de drogist had hij van alles gekocht waar hij nu zelf wat mee dokterde: valeriaandruppels, melatoninetabletten, rustgevende thee, diverse nachtrustcapsules, maar dat leek allemaal maar weinig te helpen. Op Aafkes aandringen om toch weer terug te gaan naar de huisarts reageerde hij alleen maar door nog geslotener te worden. Hij beweerde dat hij overdag geen last meer had van hartkloppingen, maar ze merkte steeds vaker dat hij 's nachts een aanval kreeg. Hij had op internet allerlei sites over hyperventilatie opgezocht en wist nu dat de aanvallen niet schadelijk waren, maar het bleef een angstige ervaring. Aafke vond het een vreemde gewaarwording als ze hem zag zitten met een zakje voor zijn mond, langzaam in- en uitademend.

Op de dinsdagen waarop hij zijn papadag had, had ze er steeds meer moeite mee om naar haar werk te gaan. 'Gaat het wel?' vroeg ze telkens voor ze vertrok, waarop Tim steevast wat geïrriteerd reageerde met: 'Natuurlijk, ga nou maar.'

Ze merkte echter dat hij steeds minder van Lisanne kon hebben. Gelukkig werd die binnenkort vier en ging ze naar de basisschool, dan had Tim alleen Stijn om voor te zorgen. Stijn was inmiddels bijna een halfjaar en een gemakkelijke baby. Als die zijn natje en droogje maar op tijd kreeg, en af en toe een schone luier, was hij allang tevreden. Hij had een maand geleden wat last van zijn tandjes gehad, maar sinds die

door waren, ging het 's nachts ook weer goed.
Aafke had de kinderen vanmorgen bij Lobke gebracht. 'Ik moet bij iemand op bezoek, wil jij even oppassen?' had ze gevraagd.
'Natuurlijk, breng ze maar,' had Lobke gereageerd.
En nu stond ze voor de aanleunwoning van het echtpaar De Bruine. Ze had in het telefoonboek hun nummer opgezocht en gebeld om te vragen of ze vanmorgen langs mocht komen. 'U spreekt met Aafke Peters. Ik heb uw adres van Marrie van Leersum gekregen, uw vroegere buurvrouw, en ik zou graag wat informatie van u hebben.' Het noemen van de naam van Marrie had vast geholpen, want ze mocht komen.
De deur werd opengedaan door een rijzige heer. 'U bent mevrouw Peters? Komt u binnen. De Bruine,' stelde hij zich voor en hij stak haar zijn hand toe. 'Zal ik uw jas ophangen? Loopt u maar door, mijn vrouw wacht al met de koffie.'
Mevrouw De Bruine was een korte, gezette vrouw met een vriendelijk gezicht en lachrimpeltjes rond haar ogen. 'Dus u bent mevrouw Peters? Ik ben mevrouw De Bruine. Wilt u koffie?'
'Graag.' De ontvangst was in elk geval prima, dacht Aafke. Ze keek rond. Een bijdetijds, kras echtpaar, was haar eerste indruk. Er stond zelfs een computer in de kamer.
Toen ze allemaal aan de koffie zaten, stak Aafke van wal. 'Ik ben hier om u te vragen of u me iets kunt vertellen over mensen die zo'n twaalf jaar geleden naast u gewoond hebben,' zei ze.
Mevrouw De Bruine knikte. 'Over Mat Peters,' zei ze tot Aafkes verrassing.
'Hoe weet u dat?' vroeg ze verbaasd.
'Toen je zei dat je Peters heette, dacht ik al dat het over hem ging. Is hij je vader?'
O, dus niet de naam van Marrie maar haar eigen naam had deuren geopend, begreep Aafke. 'Nee,' antwoordde ze, 'hij is de vader van mijn man. Dus eigenlijk mijn schoonvader, maar ik heb hem nooit ontmoet, dus ik vind het moeilijk hem zo te noemen.' Ze zette haar koffiekopje neer en vroeg gespannen: 'Leeft hij nog?'
'Zes jaar geleden nog wel,' zei mevrouw De Bruine. 'Toen hebben

we hem voor het laatst gezien.' Ze nipte van haar koffie en was even stil.
Aafke wilde de woorden wel uit haar trekken. 'Weet u waar hij nu is?' vroeg ze.
'Zal ik maar bij het begin beginnen?' vroeg mevrouw De Bruine.
Aafke knikte. Ze was benieuwd naar wat er kwam.
'Twaalf jaar geleden kwam er een echtpaar naast ons wonen,' vertelde mevrouw De Bruine. 'Ze heetten Mat en Saskia Peters. Hij was een stuk ouder dan zij. Hij hield zich altijd erg afzijdig, maar zij kwam weleens bij ons op de koffie. Daarbij vertelde ze een keer dat zij de derde vrouw was van Mat, en dat hij bij zijn eerste vrouw drie kinderen had met wie hij geen contact meer had. Met zijn tweede vrouw was hij bijna tien jaar getrouwd geweest, zij hadden samen één zoon. Die vrouw is toen bij hem weggegaan. Daarna heeft hij een tijdje alleen in dat huis gewoond. Daar kwam nog bij dat hij door een reorganisatie op zijn werk op straat kwam te staan. In die tijd is hij steeds meer gaan drinken. Via een arbeidsbureau kwam hij in een re-integratietraject terecht, waar hij Saskia leerde kennen. Saskia trok al snel bij hem in, en na een jaar zijn ze getrouwd, een jaar voordat ze naast ons kwamen wonen, dus dat moet in 1997 geweest zijn. Mat heeft hier en daar wel wat baantjes gehad, maar kreeg geen vast werk meer vanwege zijn drankprobleem, dat steeds erger werd. Ze hebben toen het huis moeten verkopen en zijn daarna hier komen wonen.
Mat was een aardige vent, tenminste, zolang hij niet dronk. Saskia hield echt van hem. Volgens haar was hij gaan drinken omdat hij zijn kinderen zo miste. Zij had zelfs voorgesteld om dan zelf een kind van hem te krijgen om dat gemis wat te compenseren, maar dat wilde Mat niet. Zijn drankprobleem werd steeds groter, en uiteindelijk is Saskia bij hem weggegaan, nu ruim zes jaar geleden. Mat heeft toen nog een poosje in het huis gewoond, maar hij betaalde zijn rekeningen niet, alles ging op aan de drank. Na een paar maanden is hij op straat gezet. Ze zijn zelfs van de gemeente moeten komen om het huis schoon te maken, zo vervuild was de boel. De post van maanden lag ongeopend in de gang, de schimmel stond op de vaat en in de koelkast, kortom, hij

had de boel de boel gelaten.
We hebben hem daarna nog maar een paar keer gezien, de laatste keer bij de supermarkt. Toen vertelde hij dat hij bij het Leger des Heils zat, hij zwierf een beetje heen en weer tussen de diverse opvanghuizen. Hij zag er toen slecht uit. Maar vertel eens, kind, hoe is het met zijn kinderen?'
Aafke vertelde het een en ander over Trea, Tim en Tirza. 'En hij heeft ook al kleinkinderen, Tim en ik hebben een dochter van bijna vier en een zoon van vijfenhalve maand, en Tirza en haar man Hans hebben een zoon van zeven maanden.'
'Grappig, alle drie de namen van zijn kinderen beginnen met een T. Hebben ze dat zo uitgekozen?' vroeg mevrouw De Bruine.
Aafke haalde haar schouders op. 'Waarschijnlijk wel.'
'Is zijn vrouw, eh, zijn ex-vrouw nog hertrouwd?'
'Nee, nooit.' Dat ze een verzuurde vrouw was geworden na de scheiding, vertelde Aafke er maar niet bij.
'Heb je foto's van de kinderen van Mat?' vroeg mevrouw De Bruine toen.
'En wil je nog koffie?' vroeg meneer De Bruine. Hij stond op om de koffiekan te pakken.
Aafke zocht in haar tas en pakte daar wat foto's uit. 'Deze zijn van Kerst, daar staan ze allemaal wel een keer op.' Ze wees: 'Dit is Trea, dit is Tirza, en dat is Tim.'
'Hij lijkt op zijn vader,' zei mevrouw De Bruine. 'Zelfde gezicht, zelfde houding, alleen was Mat een stuk magerder en begon hij al kaal te worden.'
'Dus u heeft daarna nooit meer iets van hem gehoord?' vroeg Aafke.
'Nee. Misschien dat ze je bij het Leger des Heils verder kunnen helpen,' zei mevrouw De Bruine. 'Of anders kun je het misschien eens bij *Spoorloos* proberen, dat televisieprogramma. Ik mag daar altijd graag naar kijken.'
Aafke had dat ook al eens overwogen, maar ze wilde het eerst zelf proberen, samen met Tirza.
Ze borg de foto's weer op in haar tas en dronk haar koffie op. 'Bedankt

voor de koffie en ook voor de informatie. Ik zal eens met mijn schoonzusje overleggen hoe we het nu verder gaan doen.'

De zoektocht zou weleens moeilijker kunnen worden vanaf hier, dacht Aafke onderweg naar Montfoort. Niet alleen omdat het Leger ongetwijfeld heel veel vestigingen had voor daklozen, maar die zouden waarschijnlijk ook geen informatie verstrekken in verband met de privacywetgeving. Tim zou misschien zelf als hulpverlener meer informatie kunnen krijgen, maar die wilde vast niet meewerken. Hij wist niet eens dat ze hiermee bezig was, en gezien zijn humeur van de laatste tijd was ze voorlopig nog niet van plan het te vertellen.
Lisanne stond al voor het raam toen ze kwam aanrijden. Stijn zat bij Lobke op schoot. Ze was hem net z'n fruithap aan het geven, zag Aafke door het raam. Ze gebaarde dat ze wel zou omlopen.
Lobke had de tafel al gedekt, zag Aafke toen ze binnenkwam. 'Je blijft toch nog wel lunchen?' vroeg Lobke.
'Dat is goed, ik hoef vanmiddag niet weg. Is alles goed gegaan?'
'Ja hoor. Stijn is nog maar net wakker en Lisanne heeft lief zitten spelen met het speelgoed dat ik van de buren heb gekregen. Die waren hun schuur aan het opruimen en vroegen of ik dat wilde hebben voor als jullie kwamen. Nou, graag natuurlijk.'
Lisanne liet een minikeukentje zien. 'Kijk eens, mama, ik heb aardappeltjes gekookt. Wil je een hapje?' En ze gaf Aafke een zogenaamdhapje uit een pannetje.
'Mmmm,' proefde Aafke, 'lekker, hoor.'
Toen Stijn zijn fruithap ophad, legde Lobke hem op een deken op de grond en gingen ze aan tafel. Nadat ze Lisanne van een boterham voorzien had, vroeg Lobke: 'Had je een gezellig bezoek vanmorgen?'
Aafke aarzelde even, en besloot toen Lobke te vertellen van de zoektocht. Misschien weet Lobke wel een oplossing, twee weten meer dan één, dacht ze. Ze vertelde van Tirza's opmerking vlak na de geboorte van Gertjan, en dat ze samen met Tirza nu op zoek was naar de biologische vader van Tim. 'Maar Tim weet nog van niks. Hij wil zelf het contact niet herstellen. Voor Trea hoeft het ook niet zo nodig, maar

Tirza wil het graag, ze wil het in elk geval proberen. Bovendien gaat het niet zo lekker met Tim op dit moment, en het is nog vroeg genoeg om het hem te vertellen als we die man gevonden hebben. Voor hetzelfde geld vinden we hem niet eens.'
'Spannend!' vond Lobke. 'Waar moest je vanmorgen dan naartoe?'
Aafke vertelde hoe de zoektocht tot nu toe verlopen was. 'Die mevrouw vertelde vanmorgen dat hij na zijn tweede scheiding is gaan drinken, en dat mede daardoor zijn derde scheiding is veroorzaakt. Volgens zijn laatste vrouw kwam dat omdat hij zijn kinderen miste. Bij die tweede vrouw had hij een zoon.'
'Hé, dan heeft Tim dus een halfbroer,' zei Lobke verrast.
Daar had Aafke nog niet eens aan gedacht. 'Je hebt gelijk. Vreemd idee, dat er ergens een halfbroer van hem rondloopt. Zou hij op Tim lijken? Volgens die mevrouw leek Tim erg op zijn vader.'
'En waar is die vader nu?' vroeg Lobke nieuwsgierig. Het leek wel een soap!
'Na zijn derde scheiding werd het drinken nog erger. Al zijn geld ging op aan drank en hij betaalde geen rekeningen meer. Toen is hij uit zijn huis gezet en is hij gaan zwerven. Die mevrouw vertelde dat hij de laatste keer dat ze hem zag, verteld had dat hij meestal bij het Leger des Heils onderdak had. Maar ja, dat wordt dan natuurlijk zoeken naar een speld in een hooiberg...'
'Is er in Gouda een voorziening van het Leger des Heils?' vroeg Lobke. 'Ik zal na het eten eens op internet kijken.'
Lisanne vond dat de grote mensen nu wel lang genoeg gepraat hadden. 'Mag ik nu roze pasta?' vroeg ze met een lief stemmetje.
Aafke lachte. 'Ja hoor, schat, je hebt keurig je boterham met worst op, nu mag je er eentje met roze pasta.'
'Wil je nog thee?' vroeg Lobke.
'Nou, ik heb eigenlijk wel trek in een lekker sterk bakje koffie. Die mensen vanmorgen waren hartstikke aardig, maar ze hadden maar een slap bakje,' lachte Aafke. 'Heb je nog koffie staan?'
Lobke schudde haar hoofd. 'Nee, ik drink al een tijdje geen koffie meer, dat valt telkens verkeerd.'

'O?' vroeg Aafke gealarmeerd. Tegelijkertijd corrigeerde ze zichzelf. Denk toch niet meteen altijd het ergste bij Lobke!
Lobke zuchtte. 'Ja, ik denk dat ik nu echt in de overgang zit. Ik ben nog steeds niet ongesteld geworden, en ik houd vocht vast. M'n ring zat zo strak dat ik die af moest doen. Die gynaecoloog had me er al voor gewaarschuwd. Ik heb ook maar steeds zo'n slaap. Roel plaagt me er al mee. 'Je wordt oud,' zei hij gisteren toen ik weer voor de tv in slaap viel. Gelukkig heb ik nog geen opvliegers, zoals mam had, maar ik voel me wel af en toe erg beroerd.'
Er schoot ineens een gedachte door Aafke heen. Vocht vasthouden? Beroerd zijn? Niet meer ongesteld worden? Kunnen slapen waar je zit? Dat leek wel heel erg veel op... Maar dat kon toch niet?
'Ben je al naar de dokter geweest?' vroeg ze.
'Nee, waarom?' vroeg Lobke. 'Hij kan er toch ook niks aan doen. Kijk maar naar mam, het is gewoon een fase waar ik doorheen moet.'
'Misschien zit je niet in de overgang, misschien...' Aafke aarzelde. Stel dat ze zei wat ze vermoedde, en het bleek niet zo te zijn, dan was het weer een teleurstelling voor Lobke.
Maar Lobke had de blik in de ogen van Aafke gezien. 'Wat misschien?'
'Nou...' zei Aafke, nog steeds aarzelend. 'Je klachten lijken heel veel op de klachten die ik heb als ik zwanger ben...'
Lobke sperde haar ogen wijd open. 'Zwanger?' Ze leunde achterover. 'Daar heb ik geen moment aan gedacht. Ik ging ervan uit dat dat niet voor ons weggelegd was, en dat ik nu in de overgang zit.' Ze leek verbijsterd. 'Zwanger...' Ze schudde vertwijfeld haar hoofd. 'Zou het?'
Ze keek ineens ongerust. 'Kan dat wel? Mijn eitjes waren beschadigd door de chemo, zei de gynaecoloog. Bovendien produceerde ik geen hormonen genoeg voor een eisprong. Dan kun je toch niet zwanger worden?'
'Geen idee,' zei Aafke, 'maar ik zou toch maar eens langs de huisarts gaan.'
'Zwanger...' Lobke leek het woord niet vaak genoeg te kunnen zeggen. Ze legde haar handen in een beschermend gebaar om haar buik. Wie weet...

'Je kunt ook een test halen bij de drogist,' zei Aafke. 'Dan weet je het snel genoeg.'
Lobke schudde haar hoofd. 'Nee, ik maak wel zo snel mogelijk een afspraak bij de huisarts, want als ik zwanger zou zijn zit ik boordevol vragen, en die krijg ik niet beantwoord door zo'n test.' Ze keek Aafke blij aan. 'Wat zal Roel opkijken!'
'Maak je nou niet al te blij,' zei Aafke voorzichtig, 'wacht eerst maar af wat de dokter zegt.'

Aafke hoefde niet te lang in spanning te zitten. De volgende dag kreeg ze een juichende Lobke aan de telefoon: 'Ik ben zwanger! Roel is ook mee geweest naar de dokter, en we hebben zelfs het hartje al horen kloppen. In september krijgen we een baby!'

11

AAFKE HAD TIRZA NIET GEBELD OVER DE UITSLAG VAN HAAR GESPREK MET het echtpaar De Bruine. Tims moeder vierde de komende zaterdag haar verjaardag, dan zouden ze elkaar zien. Er zou vast wel een gelegenheid zijn om Tirza even alleen te spreken.

Tim had helemaal geen zin om naar zijn moeder te gaan. 'Kun je niet een keer alleen gaan?' vroeg hij.

'Nee joh, dat kun je niet maken, 't is haar verjaardag, en de vorige maand zijn we ook al niet geweest omdat jij niet lekker was,' protesteerde Aafke.

Tim zuchtte. 'Oké, maar we blijven niet te lang, hoor. Ik wil vroeg naar bed.'

'Misschien moet je 's avonds eens wat later naar bed gaan,' opperde Aafke. 'Je ligt er tegenwoordig vaak al om halfnegen in, en dan val je als een blok in slaap, maar midden in de nacht ga je lopen spoken. Zo kom je natuurlijk nooit aan je rust.'

'Jij hebt makkelijk praten,' zei Tim scherp. 'Jij slaapt meestal een hele nacht door.'

'Maar ik ga ook niet zo vroeg naar bed als jij. Gezellig stel zijn wij, ik zit 's avonds alleen beneden, en jij 's nachts. En je bent altijd maar moe, moe, moe. Wanneer ga je nou weer eens naar de dokter?'

'Ik los het zelf wel op,' mompelde Tim. 'Hoe laat moeten we weg?'

'We worden om drie uur verwacht en Trea zou voor eten zorgen.'

'Pff, moeten we nog blijven eten ook? Dat trek ik niet, hoor.'

'Je lijkt je moeder wel.' Het was eruit voor Aafke er erg in had.

'Hoezo?' vroeg Tim fel.

'Die doet ook niks waar ze geen zin in heeft.' Aafke werd ook fel. 'Ik kan me best voorstellen dat je moe bent, als ik zie hoe kort jouw nachten zijn. Maar doe er dan ook iets aan door naar de huisarts te gaan, in plaats van zelf te gaan lopen dokteren. Je bent de laatste tijd alleen maar moe, ik hoor niks anders meer, je snauwt tegen de kinderen, je ziet er niet uit, we doen nooit meer iets samen, een kus kan er amper meer af, laat staan een arm om m'n schouder of een potje vrijen. Je hebt

zelfs nauwelijks gereageerd op het feit dat Lobke zwanger is. Je bent zo... afstandelijk. Ben je op je werk ook zo?'
Tim wist dat ze gelijk had. Nee, op zijn werk was hij niet zoals thuis. Op zijn werk speelde hij een rol, maar dat kostte hem zoveel energie dat hij dat thuis niet meer op kon brengen. Aan het eind van een werkdag voelde hij hoe hij inzakte. Het leek alsof hij in twee werelden leefde. De wereld van zijn werk, waar hij keihard werkte om maar niets te hoeven voelen, en de wereld thuis, waar hij nauwelijks de ene voet voor de andere kon zetten.
Zijn hartkloppingen waren ondanks allerlei middeltjes van de drogist niet afgenomen, evenmin als het hyperventileren. Hij ging opzien tegen de nachten, waarin zo'n aanval van hyperventilatie hem op onvoorspelbare momenten overviel. Als hij overdag zo'n aanval kreeg, voelde hij zich een gespleten persoonlijkheid, alsof hij op twee niveaus leefde: zijn buitenkant ging ogenschijnlijk gewoon door met waar hij mee bezig was, zelfs tijdens vergaderingen. Maar zijn binnenkant lette op zijn ademhaling en probeerde die te reguleren, lette op zijn polsslag of zijn hart echt nog wel door bleef kloppen, lette op of zijn handen niet al te zichtbaar trilden, zodat anderen niet zagen wat er met hem aan de hand was.
Waar hij 's nachts tijdens een aanval het liefst onmiddellijk zijn bed uit vloog, als om die aanval te willen ontvluchten, alsof druk bezig zijn hem weg kon houden van de angst, bleef hij tijdens een aanval op zijn werk het liefst zo stil mogelijk zitten.
'Tim, zeg eens wat?' Aafke zag hem zich weer terugtrekken in zichzelf, zoals hij de laatste tijd zo vaak deed. Het was alsof ze op zo'n moment helemaal geen contact meer met hem kreeg.
'Laat me nou maar,' zei Tim nors. 'Ik ga wel mee.'
Zwijgend reden ze die middag naar Delft. Lisanne brak de snijdende stilte door het liedje van Dikkertje Dap te zingen, dat ze die week op het dagverblijf had geleerd. Aafke wist nog dat ze dat zelf altijd zo'n prachtig versje vond en neuriede mee. Daarna volgde een heel scala aan versjes, tot ze voor de flat stopten.
'De anderen zijn er al,' zag Aafke aan de auto's die er al stonden. Tim

zei niets. Hij pakte de wandelwagen uit de achterbak en zette die in elkaar. Daarna liepen ze naar de ingang en gingen met de lift naar de vierde verdieping.
Lisanne mocht het cadeautje aan oma geven, een flesje eau de toilette. Het werd minzaam in ontvangst genomen. Trea was enthousiaster. 'Wat zijn jullie groot geworden!' Ze hadden elkaar sinds Kerst niet meer gezien.
Gertjan bleek ook flink gegroeid, en hij mocht samen met Stijn op een deken op de grond liggen. Hans maakte foto's met zijn nieuwe camera.
Tirza stond in de keuken de taart aan te snijden. Aafke glipte even naar haar toe. 'Ik ben geweest,' fluisterde ze.
Tirza wist meteen wat ze bedoelde. 'En?'
'Vertel ik straks wel. Maar 't is er niet eenvoudiger op geworden.'
Na de koffie stelde Tirza voor: 'Aafke, ga je mee een eindje wandelen met de jongetjes? Het is zulk lekker voorjaarsweer.'
Aafke begreep de hint. 'Ja, lekker, dan komen ze toch nog even buiten vandaag.'
'Wil er nog iemand mee?' vroeg Tirza voor de vorm, maar ze hoopte dat iedereen zou weigeren.
Dat deden ze gelukkig. Johan, Hans en Tim waren verdiept in een gesprek over Massachusetts, waar Johan onlangs een expositie gehouden had, en Trea wilde haar moeder op haar verjaardag niet met de mannen alleen laten. 'Gaan jullie maar lekker samen.' Lisanne wilde ook niet mee. 'Ik blijf bij tante Trea. Dan kan ik mijn nieuwe versje laten horen van Dikkertje Dap.'
Even later liepen Aafke en Tirza in het voorjaarszonnetje, elk achter een wandelwagen met daarin een slapend jongetje.
Aafke vertelde wat ze bij het echtpaar De Bruine had gehoord. Ook Tirza zette grote ogen op toen ze hoorde dat ze een halfbroer had. 'Hoe oud zou hij zijn?'
'Eens even rekenen, hoor. Jullie vader is tien jaar met zijn tweede vrouw geweest, dus hij moet maximaal tien jaar jonger zijn dan jij. Dus ergens tussen de twintig en de dertig.'

'Dus ook al een volwassen man,' constateerde Tirza. 'Maar ga verder.'
Toen Aafke vertelde dat Mat Peters door de drank nu een zwervend bestaan leidde, keek Tirza verdrietig. 'Wat een triest verhaal.'
'Volgens zijn laatste vrouw is hij aan de drank gegaan omdat hij zijn kinderen miste,' zei Aafke. 'Ik vroeg me toen alleen af: waarom is hij jullie dan nooit op komen zoeken?'
'Tja, waarom?' zei Tirza. 'Misschien schaamde hij zich.'
'Weet Trea trouwens al dat we nu daadwerkelijk op zoek zijn?' vroeg Aafke.
'Ja, ik heb het haar vorige week verteld door de telefoon. Ik denk dat ze daarom bij moeder bleef, omdat ze wel begreep dat wij samen wilden praten. Ze vond het allemaal best en wenste ons veel succes. Het maakt haar niet uit of we hem nu wel of niet vinden. Als hij ineens voor haar deur zou staan, zou ze hem niet wegsturen, zei ze, maar ze had geen behoefte om zelf naar hem op zoek te gaan. En Tim? Weet die het nu al?'
'Nee, nog steeds niet,' zei Aafke. 'Het gaat niet echt lekker met hem. Hij slaapt nog steeds slecht, wordt steeds kribbiger, hij kan weinig van de kinderen hebben. Ik durf hem niet ook nog te belasten met de mededeling dat we z'n vader aan het zoeken zijn.'
'Dat is eigenlijk niks voor jullie, hè, dat je iets buiten Tim om doet? Ik vond jullie altijd zo'n hecht stel,' merkte Tirza op.
Aafke lachte wat schamper. 'Nou, zo'n hecht stel zijn we op dit moment helemaal niet. Ik heb steeds meer het idee dat we maar een beetje langs elkaar heen leven.'
'Jammer,' zei Tirza. 'En dat allemaal door die slapeloosheid? Daar zijn toch wel pillen voor?'
'Hij is een tijdje geleden naar de huisarts geweest, ook omdat hij bang was dat hij het aan z'n hart had. Hij had namelijk steeds hartkloppingen, ook 's nachts, en pijn op z'n borst, en hij was benauwd. Hij is uitgebreid onderzocht door de cardioloog, maar daar kwam niks uit. Toen moest hij weer terug naar de huisarts, maar die wilde hem geen slaappillen geven. Volgens hem was Tim meer gebaat bij ademhalingsoefeningen, en anders kon hij wel een verwijsbrief voor een psycholoog

krijgen, want hij dacht dat 't psychisch was.'
'En dat wilde Tim natuurlijk niet.'
'Nee, inderdaad.'
'Een typische hulpverlenersreactie. Wel hulp willen geven, maar niet willen ontvangen. Wat zei hij? 'Ik ben toch niet gek?"
Aafke lachte. 'Precies.'
'Van een vriendin, die verpleegkundige is, begreep ik dat artsen en hulpverleners de meest vreselijke patiënten zijn, omdat ze het altijd beter denken te weten, en omdat ze overal op zitten te letten en precies denken te zien wat de ander verkeerd doet.'
'Ik denk dat bij artsen en verpleegkundigen ook nog eens meespeelt dat ze precies weten wat ze allemaal kunnen hebben of krijgen,' lachte Aafke. 'Ja, zo is Tim ook. Een ontzettend pietje-precies, maar dat verwacht hij ook van anderen. En hij kan op dit moment nauwelijks tegen kritiek, maar hij heeft wel ik-weet-niet-hoeveel commentaar op anderen.'
'Soms vind ik hem daarin op moeder lijken,' bekende Tirza, 'maar dat zou ik hem nooit hardop durven zeggen.'
'Mevrouw De Bruine zei dat hij uiterlijk op jullie vader leek, alleen was die magerder, en kaler,' zei Aafke.
'Wat gaan we nu verder doen?' vroeg Tirza.
'Ik wist het ook even niet, dus ik heb het aan mijn zus Lobke verteld en gevraagd of zij een idee had. Zij gaf me de tip om op internet te kijken of het Leger des Heils een daklozenopvang in Gouda had. Trouwens, ik moet je nog iets leuks vertellen. Lobke is zwanger!'
'O, echt? Wat leuk voor haar, en voor Roel! Ik dacht dat ze geen kinderen kon krijgen door die chemo?'
'De kans was ook minimaal, had de gynaecoloog gezegd, ze zou zelfs vervroegd in de overgang kunnen komen. Ze was ook heel onregelmatig ongesteld, dus toen dat steeds langer wegbleef dacht ze dat ze in de overgang was. Maar ze is zwanger. Ik ben toch zo blij voor haar!'
'Wanneer verwacht ze het?' vroeg Tirza.
'Ergens in september. De precieze datum weten we nog niet, omdat ze niet meer wist wanneer ze voor 't laatst ongesteld geweest was.

Binnenkort krijgen ze een echo, en dan zullen we wel meer te horen krijgen.'
'Hoe voelt ze zich?'
'Ja, nu helemaal super natuurlijk. Ze had wel wat klachten, vermoeidheid en misselijk en vocht vasthouden en zo, maar nu ze weet dat ze zwanger is en dat dat erbij hoort, is ze alleen maar in juichstemming,' lachte Aafke. 'Net als wij.'
'Leuk ook voor je ouders. En voor Roels vader. Roel is toch enig kind?'
Aafke knikte. 'Ja, nu wordt Roels vader als alles goed gaat ook opa. En m'n moeder is aan de ene kant wel erg bezorgd om Lobke, dat zal ze ook wel nooit meer kwijtraken, maar aan de andere kant vindt ze het zó leuk. En m'n vader is altijd een stille genieter, die verwerkt dat op z'n eigen manier.'
'Weet je dat ik in het begin stikjaloers op je was?' bekende Tirza. 'Jij hebt zulke leuke ouders, terwijl wij... Nou ja, sinds ik zulke fijne schoonouders heb aan Hans' vader en moeder, is m'n jaloezie gelukkig over. Ik ben blij dat Gertjan er een lieve opa en oma aan heeft. Maar eh... Je hebt dus gekeken of er een Leger des Heils-opvang is in Gouda.'
'Ja, en die is er. Ik ben alleen bang dat ze geen gegevens over cliënten mogen verstrekken in verband met de privacy.'
'Misschien als we uitleggen waarom we naar hem op zoek zijn?' opperde Tirza. 'Zullen we er anders samen eens langsgaan? Misschien strijken ze wel met hun hand over hun hart als we met twee man sterk komen.'
'Dat is misschien wel een idee,' zei Aafke. 'Maar het is voor jou wel een eind rijden.'
'Dat wel, maar ik kan alles moeilijk alleen op jouw schouders leggen, het gaat tenslotte om mijn vader. En jij hebt ook al genoeg aan je hoofd met Tim.'
Ze spraken af dat Tirza de volgende week woensdag naar Boskoop zou komen. 'Ik vraag wel of m'n schoonouders op Gertjan willen passen, dat doen ze altijd graag.'
'Dan vraag ik aan de buren of daar Lisanne en Stijn naartoe mogen, dan hebben we onze handen vrij,' zei Aafke.

Daarna liepen ze weer terug naar de flat. Tim stond al bij de ingang op hen te wachten. 'Waar bleef je nou?' mopperde hij. 'Kom, we gaan naar huis.'
Aafke keek verbaasd, en Tirza vroeg: 'Maar jullie zouden toch ook blijven eten? Trea heeft erop gerekend.'
'Jammer dan,' zei Tim. 'Ik blijf hier geen minuut langer.'
'Wat is er dan?' vroeg Aafke. Maar Tim beende al weg in de richting van de auto. Toen ze op de galerij kwamen, stond Trea bij de voordeur. 'Is Tim al weg?' En toen Aafke knikte, zei ze: 'Jammer.'
'Wat is er aan de hand?' vroeg Aafke.
'Och, moeder had niet zo'n tactvolle opmerking...' Trea zuchtte. 'En dat viel verkeerd bij Tim.'
'Wat zei ze dan?'
'Ze zei dat Tim er niet goed uitzag, en dat hij zo kribbig deed tegen Lisanne, en dat ze aan jou ook iets gezien had, en dat het vast niet goed ging tussen jullie, en dat hij precies z'n vader was, en dat hij er binnenkort dus ook wel vandoor zou gaan en jou met de kinderen zou laten zitten.'
'Nou ja, zeg!' zei Aafke verontwaardigd. 'Hoe komt ze erbij!'
'Tja, je weet hoe ze is,' zuchtte Trea. 'En toen wilde Tim meteen weg. 't Is dat hij nog op jou moest wachten, anders was hij allang vertrokken.'
Aafke voelde een handje in haar hand glijden. Het was Lisanne. 'Is papa al weg?' vroeg ze beteuterd.
'Ja. Ga je jas maar pakken, dan gaan wij ook,' zei Aafke verdrietig.
Tirza knuffelde haar even. 'Trek het je niet aan, 't is net wat Trea zegt: je weet hoe ze is.'
'Ik ga gedag zeggen,' zei Aafke in een floers van tranen. 'Of nee, daar heb ik eigenlijk helemaal geen zin meer in. Wat moet ik tegen haar zeggen? Fijne verjaardag verder?' Ze veegde haar tranen weg en zei: 'Willen jullie de mannen de groeten doen?'
'Doen we, ga nu maar,' zei Trea.
Aafke pakte Lisanne bij de hand en duwde de wandelwagen naar de lift. Tim stond al bij de auto te wachten. Hij nam de wandelwagen van

haar over, haalde Stijn eruit en zette hem in het autostoeltje. Daarna vouwde hij de wandelwagen op en legde die in de achterbak. Aafke zette intussen Lisanne in haar autostoel.
'Zal ik rijden?' vroeg ze. Ze durfde Tim niet te laten rijden in deze toestand. Wie weet kreeg hij tijdens het rijden weer last van z'n hart.
Tim had dat blijkbaar zelf ook al bedacht. 'Ja, rijd jij maar.'
Zwijgend reden ze naar huis. Zelfs Lisanne voelde aan dat dit geen tijd was voor versjes.

12

De volgende maandag had Tim 's middags een gesprek met zijn leidinggevende. Die had hem gevraagd aan het eind van de middag langs te komen.

'Gaat het wel goed met je?' viel Joost met de deur in huis. 'Ik maak me een beetje zorgen om je.'

'Hoezo?' vroeg Tim met een fronsend gezicht. 'Doe ik m'n werk niet goed?'

'Dat is het 'm juist, daar heb ik weinig zicht op. Tijdens ons maandelijks overleg ben je de laatste tijd zo klaar, terwijl je vroeger altijd wel behoefte had om probleemsituaties met me door te spreken. Ik vind je tijdens vergaderingen afwezig, net alsof je met je hoofd heel ergens anders zit. Zijn er problemen thuis? Hoe gaat het met Aafke en de kinderen?'

'Goed,' zei Tim stug. Waar bemoeide die man zich mee? Zijn privéleven ging hem niets aan.

'Kijk, dit bedoel ik nou,' zei Joost. 'Ik stel een gewone vraag, en je klapt zo te zien meteen dicht. Vroeger zou je meteen foto's gepakt hebben om te laten zien hoe Lisanne gegroeid is. Nu zeg je alleen 'goed' en je trekt daarbij een gezicht als een oorwurm. Kortom, je lichaamstaal komt niet overeen met wat je zegt. Kom op, Tim, voor de draad ermee, wat is er aan de hand?'

'Niks, het gaat goed met Aafke, de kinderen groeien goed, ik heb alleen geen foto's bij me.' Tim probeerde het lachend te zeggen, maar het kostte hem veel moeite.

'En die wallen onder je ogen komen zeker omdat je vannacht slecht geslapen hebt?'

'Precies.'

Joost zuchtte. 'Tim, ik zal er geen doekjes om winden. Ik krijg signalen vanuit je team dat ze zich zorgen om je maken. Ze vinden...'

'Van wie?' onderbrak Tim hem kwaad.

'Ze vinden je afwezig,' ging Joost rustig verder, 'ze durven nauwelijks meer iets aan je te vragen omdat je dan prikkelbaar reageert, en zelfs

dát durven ze niet tegen je zeggen. Ze hebben niet over je geklaagd, hoor, daarvoor hebben ze je veel te hoog zitten. Maar ze maken zich zorgen over je, en ik ook.'
Hij keek Tim afwachtend aan en leunde zwijgend achterover.
Tim keek naar het tafelblad. Hij voelde een pijnlijke kramp die begon in zijn achterhoofd en via zijn nek langs zijn ruggengraat naar beneden liep. Rustig blijven ademen, zei hij tegen zichzelf. Een fluittoon piepte in zijn rechteroor. Zijn vingers begonnen te tintelen. Rustig blijven ademen... Zijn hart sloeg een paar keer over en begon toen sneller te kloppen. Rustig...
'Tim?' klonk de stem van Joost van heel ver.
Tim stond bruusk op. 'Ik moet even naar het toilet,' zei hij. Hij liep zo kalm mogelijk het kantoor uit en schoot de toiletruimte in. Hij deed de deur op slot en leunde achterover tegen de koele muur. Rustig doorademen. In, uit, in, uit.
Zijn hart ging als een razende tekeer en het zweet brak hem uit. Hij vormde een kommetje met zijn trillende handen en sloot dat om zijn gezicht. In, uit, in, uit. Zijn knieën knikten zo dat hij op de rand van het toilet moest gaan zitten om niet te vallen. In, uit, in, uit.
Langzaam zakte de aanval, totdat hij rillend tot zichzelf kwam. Zijn hart sloeg weer in een rustiger tempo, de kramp in zijn nek trok weg. Hij stond op, maakte weer een kommetje met zijn handen, nu om water te scheppen, en stopte zijn gezicht erin. Daarna droogde hij zich af en liep weer terug naar Joost.
'Sorry, ik ben aan de diarree,' loog hij toen hij weer ging zitten.
'Hoef je dan niet door te trekken?' vroeg Joost nuchter. Het toilet was naast zijn kantoor. Hij boog zich voorover en zocht Tims ogen. 'Tim, ik weet niet wat er met je aan de hand is, maar ik meld je ziek. Je gaat nu naar huis en de eerstkomende twee weken blijf je daar. Ik zorg wel voor vervanging. Ik weet niet of je problemen van lichamelijke of psychische aard zijn, maar ik wil dat je er iets aan gaat doen. Dit houd je niet vol, man.'
Tim voelde een vreemde matheid over zich heen komen. Hij had niet eens meer de energie om te protesteren.

Joost keek hem aan. 'Zijn er nog belangrijke dingen die ik moet weten wat betreft de woonvoorziening? Heb je nog afspraken staan die afgebeld moeten worden?'
'Die staan allemaal in de kantooragenda,' zei Tim schor.
Joost lachte. 'Dat had ik kunnen weten. Tim pietje-precies. Wij zorgen wel dat die afgebeld worden, zorg jij nu maar voor jezelf.' Hij schoof zijn stoel achteruit en stond op. 'Lukt het wel om thuis te komen?'
Tim stond ook op en knikte. Zwijgend pakte hij zijn tas en trok daarna zijn jas aan. Hij wilde Joost niet aankijken, bang dat hij dan misschien in huilen zou uitbarsten. Toen hij de kamer uit liep, legde Joost even zijn hand op Tims schouder. 'Sterkte, joh. Rust lekker uit en ga maar alleen leuke dingen doen.'
Langzaam liep Tim naar de auto. Zijn hoofd registreerde het gevoel in zijn lijf, alsof het het lijf van iemand anders was. Het zware gevoel in zijn borst. Zijn armen die als lood leken. Zijn benen die aanvoelden als gummi.
Hij gooide zijn tas achterin, stapte in en reed op de automatische piloot naar huis.

Thuisgekomen liet Tim zich op de bank vallen. Het enige wat hij nog voelde, was een zware moeheid. Alsof hij nooit meer uitgerust zou raken.
Toen hij een poosje op de bank gelegen had, ging zijn mobiele telefoon. Het was de kinderopvang. 'Lisanne en Stijn zitten al een poosje te wachten tot ze opgehaald worden.'
'Ik kom eraan.' Hij kon zichzelf wel voor z'n kop slaan. Stom, vergeten! Hij pakte z'n jas en rende naar de auto. Hij negeerde de mist die in zijn hoofd aan het opkomen was.
'Sorry, maar m'n vergadering liep wat uit,' zei hij op de kinderopvang tegen de begeleidster die hem gebeld had. Dat was nu al de tweede leugen vandaag. Hij zette de kinderen in de auto en reed naar huis. De mist in zijn hoofd werd dichter, legde een zwaar gevoel op zijn schouders, trok langs zijn buik en rug naar beneden en liet een spoor van diepe wanhoop achter.

Op een tweebaansweg keek Tim naar de tegemoetkomende auto's. Als je nu het stuur omgooit, ben je overal vanaf, ging het door hem heen. Het niets meer hoeven voelen lokte. Zou hij...?
Achter hem hoestte Stijn.
Dat hoestje drong langzaam door de mist in zijn hoofd heen. De kinderen! drong het ineens tot hem door. De kinderen zaten nog achterin. Als hij nu het stuur omgooide, was het niet alleen voor hemzelf afgelopen, maar ook voor hen...
Hij klemde het stuur stevig vast, alsof hij bang was dat het alsnog van richting zou veranderen, een wil volgend die hem uit deze diepe wanhoop zou leiden. Hij remde af voor een verkeerslicht dat op rood sprong.
'Maaike heeft een nieuwe babypop,' hoorde hij Lisanne zeggen vanaf de achterbank. 'Ik wil ook een babypop voor mijn verjaardag.'
Over drieënhalve week is ze jarig, dacht hij. Dan wordt ze vier. Zij heeft nog een heel leven voor zich.
En ze heeft jou nog nodig.
Het licht sprong op groen. Hij gaf gas en concentreerde zich op het rijden. De mist trok weg en langzaam reed hij naar huis.

'Ik heb me ziek moeten melden,' zei hij toen Aafke thuiskwam. 'Joost vond dat nodig.'
'O? Dat heeft hij dan goed gezien,' zei Aafke. Ze leek meer opgelucht dan verbaasd. 'En ga je dan morgen eindelijk terug naar de huisarts?'
'Dat zie ik nog wel,' bromde Tim. 'Ik ga eerst eens een beetje bijkomen. Wie weet doet de rust me goed. Ik moet sowieso twee weken thuisblijven.'
's Avonds, toen de kinderen op bed lagen en hij op de bank voor de tv zat, kroop de moeheid weer als een zware deken over hem heen. Hij vocht er deze keer niet tegen, liet het toe. Nu kon het, nu was hij officieel 'ziek'.
De volgende morgen vroeg Aafke bezorgd: 'Zou het wel gaan vandaag, of zal ik bellen dat ik thuisblijf?'
Hij hield zich groot en zei: 'Het lukt wel, hoor, ga maar gewoon wer-

ken.' Maar toen Aafke vertrokken was, lag de verantwoordelijkheid voor zijn twee kinderen als een zwaar gewicht op zijn schouders. Hoe kwam hij deze dag door? Hoe kon hij zorgen voor twee kinderen als hij ziek was?
Hij sleepte zich door de dag heen en was blij toen Aafke weer thuiskwam. Die zag het al aan zijn gezicht. 'Ging het een beetje?'
'Niet zo,' gaf hij toe. 'Ik ben bekaf.'
'Heb je nog een afspraak gemaakt met de huisarts?' vroeg ze.
'Nee.'
Aafke deed er maar het zwijgen toe. Wie weet deden deze twee weken hem wel goed.

Tim schoof de gordijnen open. Wat een raar idee om niet naar het werk te hoeven gaan. Om zomaar thuis te blijven. Enerzijds zou hij het werk missen, de afleiding die het hem gaf, de drive om maar door te gaan. Anderzijds moest hij nu even niet denken aan de verantwoordelijkheid die op hem af zou komen zodra hij zich weer op het werk vertoonde. Hij voelde in zijn schouders hoe het hem de laatste tijd op zijn nek gelegen had.
Aafke was al beneden bezig met de kinderen. Zij was vandaag en morgen vrij, en had hem vanmorgen laten liggen.
Wat zou hij gaan doen vandaag? Misschien kon hij eindelijk eens de schuur opruimen. Maar van het idee alleen al werd hij moe. Dus niet. Wat dan?
Hij ging op de rand van het bed zitten. Eigenlijk had hij nergens zin in. Het liefst wilde hij weer terug in bed kruipen, het dekbed over zijn hoofd trekken en slapen, wegduiken in de vergetelheid. Maar dat kon hij niet maken tegenover Aafke.
Hij ging douchen en kleedde zich aan. Daarna ging hij naar beneden om te ontbijten.
'Ik ben straks een poosje weg,' zei Aafke. 'De kinderen mogen naar de buurvrouw, dan kun jij gewoon je gang gaan.'
'Oké.'
Aafke was allang blij dat hij niet verder vroeg. Vandaag zou ze met

Tirza naar het Leger des Heils gaan. Ze had Tirza vanmorgen vroeg gebeld om te zeggen dat Tim ziek thuis zat, maar omdat Tirza er al helemaal op gerekend had om vandaag te komen en de buurvrouw op Lisanne en Stijn kon passen, hadden ze besloten om het toch maar door te laten gaan. Ze hadden afgesproken dat ze elkaar voor het gebouw van het Leger des Heils zouden treffen.
Toen Aafke weg was, ruimde Tim zijn ontbijtbordje op en ging met een glas thee op de bank zitten. Wat zou hij gaan doen vandaag?
'Ga maar alleen leuke dingen doen,' had Joost gezegd. Wat waren 'leuke dingen'? Hij staarde voor zich uit. Zijn hoofd voelde vol en leeg tegelijk.

Toen Aafke twee uur later thuiskwam, zat hij nog steeds op de bank voor zich uit te staren. De tijd was langs hem heen gegleden als regen langs een gladde rots.
'Ik ga de kinderen halen, wil jij alvast de tafel dekken?' vroeg Aafke, en ze voegde de daad bij het woord, zodat hij geen vragen kon stellen. Maar toen ze terugkwam met Lisanne en Stijn, zat hij nog steeds starend op de bank. Ze zuchtte, legde Stijn in de box en dekte samen met Lisanne de tafel. Toen ze Tim riep om te komen eten, stond hij moeizaam op van de bank en kwam aan tafel zitten, maar hij at nauwelijks iets.
Direct na het eten ging Tim weer op de bank zitten en bracht Aafke de kinderen naar bed. Daarna liep ze de trap op naar de bovenverdieping om te gaan strijken.
Tijdens het strijken gingen haar gedachten terug naar die gedenkwaardige morgen. Tirza was er al toen ze aankwam bij het Leger des Heils. Ze had telefonisch vooraf hun komst gemeld en ze werden ontvangen door de officier. Toen ze in haar kantoor achter een kopje koffie zaten, vroeg de officier wat het doel van hun komst was.
'Wij, mijn schoonzusje en ik,' vertelde Tirza, 'zijn op zoek naar mijn vader, Mattias Peters. Haar man en ik hebben nog een zus. We hebben van zijn oude buren begrepen dat hij geregeld bij het Leger des Heils overnacht, en nu vragen we ons af of u ons kunt en wilt helpen om

hem te vinden.'
De officier keek hen bedachtzaam aan en vroeg toen: 'En als jullie hem gevonden hebben, wat dan?'
Tja, wat dan? 'Ik zou graag het contact met hem herstellen als dat mogelijk is. Tenminste, als hij dat ook wil,' zei Tirza.
'En je broer en zus?'
'Voor hen hoeft dat niet zo nodig, het gaat voornamelijk van mij uit.'
Tirza legde uit wanneer haar vader vertrokken was. 'Ik herinner me niets van hem, maar nu ik zelf een kind heb, wil ik graag dat hij weer deel gaat uitmaken van mijn leven. Ik weet nu hoe het voelt om ouder van een kind te zijn. En ik ben toch zijn kind?'
'Hoe stel je je dat dan voor, dat hij deel uitmaakt van jouw leven?' De officier zag Tirza wat wanhopig kijken en vervolgde: 'Ik bedoel: wil je hem zomaar één keer zien om te weten wat voor man het is, of wil je echt een nieuwe relatie met hem opbouwen?'
'Dat laatste,' zei Tirza ferm. 'Ik wil een relatie met hem opbouwen.'
'Stel dat het tegenvalt als je hem ontmoet, wat dan?'
Tirza slikte. 'Ik heb gehoord dat hij aan de drank verslaafd was. Ik weet niet of hij dat nu nog is, maar zelfs in dat geval zou ik contact willen houden, hem regelmatig opzoeken, het over zijn en mijn leven hebben. Als hij dat wil hem zelfs uitnodigen bij mij thuis. Gewoon, dingen die vaders en dochters doen.' Dat laatste zei ze met een snik in haar stem.
'En jij?' vroeg de officier aan Aafke. 'Hoe sta jij hierin?'
'Mijn man weet niet eens dat ik hier vandaag zit,' zei Aafke eerlijk. 'Hij wilde er niets van weten toen Tirza vertelde dat zij op zoek wilde gaan naar hun vader. Hij is van mening dat zijn vader, toen hij hen in de steek gelaten heeft, daarmee het recht verloren heeft op contact. Maar...' Ze aarzelde even, ging toen verder: 'Ik begrijp Tirza ook wel. Zelf kinderen krijgen doet je toch op een andere manier naar je ouders kijken. En ik hoop dat mijn man dat door de tijd ook zal willen inzien. Hij zit nu ziek thuis, dus zijn hoofd staat nu heel ergens anders naar, daarom heb ik het hem nog niet verteld dat we al op zoek zijn. Maar wie weet doet het hem juist goed als het contact weer hersteld

zou kunnen worden.'
'Wat denk je dat je vader zelf zou willen?' vroeg de officier toen aan Tirza.
'Dat vind ik een moeilijk te beantwoorden vraag, omdat ik hem helemaal niet ken,' zei Tirza eerlijk. 'Maar Aafke is ook bij zijn oude buren geweest, en die zeiden dat hij volgens zijn derde vrouw aan de drank gegaan was omdat hij zijn kinderen miste. Hij heeft ook nog een zoon uit een tweede huwelijk, we weten niet of dat contact ook verbroken is. Dus ik denk dat hij zelf ook wel wil dat het contact met zijn kinderen hersteld wordt. Weet u waar hij is?'
'Ik ken Mat Peters, dat wil ik jullie wel vertellen,' zei de officier. 'Het gaat niet zo goed met hem, hij is ernstig ziek. Ik aarzel daarom om aan jullie vraag tegemoet te komen. Ik moet daar eerst eens over nadenken en met andere mensen die ook bij Mat betrokken zijn, bespreken wat wijs is in deze zaak. Of datgene wat jullie willen, ook wel goed is voor Mat. Mag ik jullie telefoonnummer hebben? Dan neem ik over een poosje wel contact met jullie op.'
Tirza en Aafke gaven hun telefoonnummers. Aafke zei er wel bij: 'Omdat mijn man nog van niets weet, heb ik liever dat u naar Tirza belt als er geen haast bij is. Dus alstublieft mijn nummer alleen voor noodgevallen gebruiken.'
De officier maakte een notitie en daarna namen ze afscheid.
Buiten bespraken ze of Tirza nog met Aafke mee naar huis zou gaan, maar omdat Tim nu thuis was, deed ze dat maar niet.
'Wat is er met hem? Toch geen reactie op zaterdag?' vroeg Tirza.
'Nee, de druk op het werk werd hem te veel, hij is overspannen,' legde Aafke uit. 'Dat zat er al een tijdje aan te komen, maar nu is hij officieel ziek gemeld. Hoe is het trouwens verdergegaan zaterdag? Vroeg moeder nog waar wij waren?'
'Nee, totaal niet. Ze wist dat Tim kwaad weggelopen was en ging er blijkbaar van uit dat jij hem achternagegaan was. Ze heeft het nergens meer over gehad, en wij ook niet. Wij zijn direct na het eten weggegaan. Wel sneu voor Trea, want die had veel werk van het eten gemaakt, maar er is nauwelijks van gegeten.'

Tirza leek wat in de war. 'Die officier weet waar mijn vader is, maar hij is ernstig ziek,' zei ze. O Aafke, als we nu nog maar op tijd zijn! Het zou toch vreselijk zijn als hij doodging zonder dat we elkaar nog gesproken hebben.'
Aafke was het met haar eens. Nu leken ze zo dichtbij, maar zouden ze niet te laat zijn?

13

De twee weken van Tims ziekteverlof waren veel te snel naar zijn zin om. Het was alsof dit ziekteverlof ertoe leidde dat hij zich steeds beroerder voelde. Alsof hij de afgelopen tijd moeizaam een berg beklommen had, en door deze periode van stilstand weer terugrolde naar het beginpunt. Zijn lijf voelde aan alsof er een zware tractor over hem heen gereden had.

Na twee weken had hij een vervolgafspraak bij Joost. De rit naar kantoor voelde als een loodzware gang. Tim was bang om collega's tegen te komen en vragen te moeten beantwoorden als 'Wat is er met je aan de hand?' en 'Wanneer kom je weer terug?'

'Hoe gaat het?' vroeg Joost toen ze elkaar begroet hadden.

'Nog niet echt lekker,' gaf Tim toe. 'Misschien kan ik beter weer gewoon aan het werk gaan. Ik heb nu het idee dat ik alleen maar achteruitga.'

'Geen sprake van,' zei Joost streng. 'Blijkbaar waren die twee weken niet genoeg. Wat zegt je huisarts ervan?'

'Daar ben ik niet naartoe geweest. Die kan toch niks doen. Ik hoef alleen maar uit te rusten.'

'Dan maak je straks als je thuiskomt direct een afspraak. Daar sta ik op. En je krijgt binnenkort ook een oproep van de bedrijfsarts. Dit moet je niet alleen willen doen, Tim. Geloof me, ik weet waar ik over praat, ik ben zelf ook een keer flink overspannen geweest, en je hebt daarin externe hulp hard nodig.'

'Nou, overspannen...' zei Tim. 'Ik ben alleen oververmoeid. Stijn huilde nogal veel in het begin, en de drukte op het werk...'

'Hoe je het ook noemen wilt, ik herken de tekenen,' onderbrak Joost hem. 'Ik wil alleen maar zeggen: neem de tijd. Dit is niet in twee weken gekomen en is dus ook niet in twee weken verdwenen.' Hij pakte zijn agenda. 'Ik wil je nu niet eerder dan over een maand zien. Wel wil ik dat je me wekelijks op de hoogte houdt van hoe het met je gaat. Doe dat maar per mail, een kort berichtje is genoeg. Ik hoor van de bedrijfsarts wel wat haar bevindingen zijn.'

Hij stond op, maar Tim bleef met voorovergebogen hoofd zitten. Hij zuchtte.
Joost keek naar Tims afhangende schouders en ging weer zitten. 'Is het zo moeilijk?' vroeg hij.
Ineens barstte Tim in tranen uit. Hij verborg zijn gezicht in zijn handen en snikte: 'Ik ben zo moe, zo moe...'
Joost keek hem medelijdend aan. 'Je bent volgens mij veel te lang doorgegaan,' zei hij zacht. Hij stond op en haalde een glaasje water dat hij voor Tim neerzette. 'Tim, ik zeg het nogmaals: neem je tijd. En zoek hulp.'

De volgende dag fietste Tim naar het spreekuur van de huisarts. Terwijl hij voor een stoplicht moest wachten, viel zijn oog op een dode merel die langs de kant van de weg lag, zo te zien aangereden door een auto. Hij keek er met trieste ogen naar. Wat een rotwereld was het toch, dat de mens dingen uitvond waar dieren de dupe van werden.
'Da's alweer een poosje geleden,' constateerde de huisarts. 'Hoe gaat het nu?'
'Niet goed. Ik zit nu in de ziektewet,' zei Tim kortaf. Het was dat Joost erop gestaan had dat hij weer langs de huisarts ging, anders had hij hier niet gezeten.
'Heb je nog steeds last van hyperventilatie?'
Tim knikte. 'Ja, maar ik weet nu wat dat is, en dat ik niks aan m'n hart heb.'
'En je hartkloppingen?'
'Zijn er ook nog.'
'En het slapen?'
'Slecht.' Tim beperkte zich zo veel mogelijk tot eenlettergrepige antwoorden.
'Heb je het al met je vrouw over een psycholoog gehad?'
Tim wist dat die vraag zou komen. 'Doe maar,' zei hij. Dan kon hij hier tenminste weg.
De arts schreef een verwijskaart en zette een telefoonnummer op de envelop. 'Lars Koopman is een erg goeie, ik denk dat het wel klikt met

hem.' Hij overhandigde Tim de envelop. Toen vroeg hij: 'Wil je dat ik je een recept voor slaaptabletten geef?'
Kon dat nu ineens wel? Tim keek de arts aan. 'Graag.'
De arts typte iets in de computer. 'Ik geef je een recept voor tien tabletten. Neem er de eerste week gewoon elke avond één in en probeer de week daarna er om de dag eentje te nemen. Ik wil je dan over twee weken weer terugzien.' Hij stond op en stak zijn hand uit. 'Sterkte.'

Tim kon de maandag daarop bij de psycholoog terecht voor een intakegesprek. Lars Koopman was een lange, magere man met doordringende ogen en een verrassend mooie stem, prettig om naar te luisteren. Hij wees Tim een rieten armstoel in zijn praktijkruimte. 'Ga daar maar zitten. Wil je thee of koffie?'
'Doe maar thee.' Tim ging zitten en keek om zich heen. Een gezellige ruimte, met een boekenwand, een bureau plus bureaustoel, twee rieten armstoelen en een klein bijzettafeltje met daarop een doosje tissues. Lars was erop voorbereid dat cliënten een huilbui konden krijgen, bedacht Tim. Zou dat vaak gebeuren?
Lars zette twee theeglazen op het tafeltje en ging toen in de andere armstoel zitten. Tim voelde meteen de neiging om zijn armen en benen over elkaar te slaan om toch wat afstand te scheppen. Hij voelde zich bijna bloot zonder een tafel of bureau tussen hem en de ander.
Lars stelde zichzelf voor en vertelde hoe hij te werk ging. Daarna vroeg hij Tim om iets over zichzelf te vertellen.
De vraag verwarde Tim, waar moest hij beginnen? 'Bedoel je wat voor werk ik doe en zo?'
Lars lachte. 'Nee, dat komt later wel, ik wil gewoon iets weten over je achtergrond, uit wat voor gezin kom je, ben je getrouwd, heb je kinderen, dat soort dingen.'
Tim klapte onmiddellijk dicht bij de vraag 'uit wat voor gezin kom je'. Daar wilde hij niet over praten. 'Ik ben getrouwd en heb twee kinderen, een meisje van bijna vier en een jongen van zes maanden. Geen huisdieren, rijtjeshuis, twee auto's, aardige buren. Zoiets?'

‘Zoiets, ja. Waar kom je vandaan? Broers en zussen? Leven je ouders nog?’
‘Ik ben geboren in Rotterdam, heb daarna in Delft gewoond, heb een oudere en een jongere zus, geen broers. M’n moeder leeft nog.’
‘Is je vader overleden?’
‘Ja, toen ik drie was.’ Voor hem bestond die man vanaf toen niet meer, dus technisch gezien was dat geen leugen.
‘Is je moeder nooit hertrouwd?’
‘Nee.’
Lars merkte dat Tims lichaamshouding verstarde en dat hij afgemeten antwoorden gaf. Verboden terrein, merkte hij, en om dit kennismakingsgesprek niet te beladen te maken veranderde hij van invalshoek. Hij vroeg Tim naar de klachten die geleid hadden tot zijn ziekmelding, en naar de manier waarop Tim daar tot nu toe mee omgegaan was. Tim leek daarover wat meer kwijt te willen, hij relateerde de klachten met name aan de drukte op het werk, en het gesprek verliep wat minder stroef.
Na drie kwartier zei Lars: ‘Dat is wel genoeg voor vandaag. Ik geef je voor de volgende keer huiswerk mee.’ Hij overhandigde Tim een vragenlijst. ‘Ik wil dat je die in de komende dagen voor me invult. Het zijn vragen die gaan over jouw levensloop, en jouw antwoorden kunnen mij handvatten geven voor de behandeling. Wil je de ingevulde lijst begin volgende week naar me opsturen? Volgende keer wil ik dan met je bespreken of we met elkaar verdergaan, en in dat geval wil ik het hebben over de doelen die je wilt bereiken in de komende tijd. Dan kunnen we aan de hand daarvan een plan van aanpak maken.’
Even later stond Tim weer buiten. Dit eerste gesprek was hem meegevallen. Hij had er als een berg tegen opgezien, maar in de loop van het gesprek had hij een positieve indruk gekregen van die Lars.
Aafke had die dag vrij genomen en zat thuis gespannen te wachten. ‘En, hoe was het?’
‘Ja, wel goed, geloof ik,’ zei Tim. ‘Hij lijkt een geschikte vent. Wel vreemd om nu eens zelf cliënt te zijn en dus aan de andere kant van de tafel te zitten. Overigens een erg klein tafeltje,’ grinnikte hij, en hij ver-

telde hoe het gesprek verlopen was. 'Ik heb een vragenlijst meegekregen, die moet ik invullen en begin volgende week terugsturen. Ik zal er straks eens naar kijken. Is er nog koffie?'
Aafke was opgelucht. Ze was blij dat Tim externe hulp gezocht had, een eerste stap in de goede richting. Terwijl ze koffie inschonk, vroeg ze: 'Wanneer moet je terug?'
'Volgende week donderdag. Hij gaat zelf uit van tien tot twaalf sessies, maar meer of minder kan ook. Volgende keer wil hij een plan van aanpak met me maken. Tenminste, als we met elkaar verder willen, maar wat mij betreft doen we dat.'
Aafke zette de koffie voor hem neer en kwam naast hem op de bank zitten. 'Fijn! Even wat anders: wat doen we nu met Lisannes verjaardag zaterdag? Ik bedoel... Mijn familie zal wel komen, en Trea en Tirs komen vast ook wel, maar hoe moet dat nu met jouw moeder?'
Tim haalde wat wrevelig zijn schouders op. 'Geen idee. Voor mij hoeft ze niet meer te komen. Ze kan toch alleen maar rotopmerkingen maken.'
'Maar 't is wel Lisannes oma, en we kunnen toch moeilijk het contact helemaal verbreken. Ze is toch al zo eenzaam.'
'Dat doet ze zichzelf aan,' zei Tim fel.
Aafke zuchtte. Ze begreep Tim wel, maar ze kon het niet over haar hart verkrijgen om haar schoonmoeder de toegang te weigeren. 'Misschien heeft ze zelf ook wel door dat ze dit keer te ver gegaan is, omdat jij kwaad weggelopen bent. Zullen we haar toch maar gewoon vragen? De rest heeft al een uitnodiging gekregen, ik kan er naar haar ook eentje sturen.'
Tim voelde ineens weer een zware moeheid over zich heen komen. Hij stond moeizaam op. 'Je doet maar. Ik ga nog een poosje naar bed. Roep je me straks voor het eten?'

Zaterdagochtend werden Aafke en Tim al vroeg gewekt door een enthousiaste Lisanne. 'Papa, mama, wakker worden, ik ben jarig!'
Tim moest van ver komen. Door de slaaptabletten sliep hij vast en diep, maar hij had het laatste uur liggen woelen en draaien en was daarna in

een schemergebied tussen slapen en waken terechtgekomen, dromend dat hij de hele bovenverdieping van hun huis had moeten verbouwen. Lisanne had hem wakker gemaakt toen hij net bezig was een wand te slopen. Hij voelde het nog in zijn schouders.
Aafke sloeg het dekbed open. 'Kom maar, dan mag je tussenin.'
Lisanne liet zich dat geen twee keer zeggen. Ze sprong op bed en kroop onder het dekbed. 'En nu zingen!'
'Eerst even wakker worden, hoor,' bromde Tim.
Maar Lisanne was niet meer te houden, en ze begon zelf al: 'Lang zal ze leven, lang zal ze leven...'
'Lang zal ze leven in de gloria,' nam Aafke het over, en ze gaf Tim een por. 'Kom op, joh, je dochter is jarig.' Samen zongen ze het liedje uit.
'Nou ben ik vier,' zei Lisanne stralend, 'en nou mag ik naar school.'
'Vandaag nog niet, nog twee nachtjes slapen,' zei Aafke lachend. 'Vandaag en morgen is de school gesloten.'
'Waarom?' vroeg Lisanne. Die vraag stelde ze de laatste tijd steeds, Aafke werd er soms moe van.
'Omdat de juffrouw er niet is.'
'Waarom is de juffrouw er niet?'
'Omdat die net als papa en mama ook op zaterdag en zondag vrij is.'
'Waarom is ze dan vrij?'
'Omdat ze dan héél moe is van al die kindjes die de hele dag maar vragen: waarom?' lachte Aafke. Ze kietelde Lisanne, die schaterend wilde ontsnappen aan mama's vingers.
'Nee, niet doen!' Ze vluchtte onder het dekbed naar het voeteneind.
Aafke stapte uit bed en liep naar de linnenkast, waar ze een pakje uit haalde. 'Wat krijgen kindjes die jarig zijn?' vroeg ze lachend.
'Een cadeau!' riep Lisanne. Ze dook onder het dekbed vandaan en ging meteen rechtop zitten. Ze stak haar handjes uit. 'Voor mij!'
'Van harte gefeliciteerd, grote meid,' zei Aafke en ze gaf het pakje aan Lisanne. Daarna stapte ze zelf ook weer in bed.
Lisanne scheurde het papier van het pak en hield toen met een grote glimlach een pop omhoog. 'Een babypop!' riep ze blij. 'Net zo eentje als Maaike.' Ze gaf de pop een knuffel.

Tim lag naar zijn dochtertje te kijken. Nog zo te zijn als een kind, dacht hij bijna jaloers, een kind dat zich nog niet bewust is van die boze wereld, waarin mensen elkaar kwetsen en in de steek laten.
Even dacht hij aan de vragenlijst die hij van Lars gekregen had, en waar hij de afgelopen dagen aan was begonnen. Toen hij bij de paragraaf Familiegegevens kwam, was hij op vragen over zijn ouders gestuit, en hij had het formulier van zich af geschoven. Die vragen zou hij de komende dagen toch moeten beantwoorden.
Vandaag zou hij zijn moeder weer zien. Zijn moeder, die nooit enige moederlijke gevoelens had getoond. Zijn moeder, die nooit naar hem gekeken had zoals Aafke nu vertederd naar Lisanne keek. Zijn moeder, die hem nooit eens geknuffeld had zoals Aafke Lisanne kon doen.
Hij werd overvallen door een zwaar gevoel rond zijn hart. Als Lisanne niet tussen hen in gelegen had, was hij nu tegen Aafke aan gekropen, zijn hoofd tegen haar borst, zoekend naar haar warmte. Als een klein jongetje, drong het ineens tot hem door.
Die gedachte overviel hem zo dat hij bruusk overeind kwam en uit bed stapte. 'Ik ga douchen,' zei hij.
Aafke keek hem verbaasd na. Wat had Tim ineens?

Om tien uur kwam de eerste visite. Opa en oma Schrijver hadden Sanne opgehaald, die het cadeautje van opa en oma en haar mocht geven. 'Een buggy voor m'n pop!' riep Lisanne enthousiast. Ze liet haar nieuwe pop zien.
'Hoe heet je pop?' vroeg Hanneke.
Daar had Lisanne nog niet over nagedacht. Ze fronste haar wenkbrauwen. 'Gewoon, Baby,' zei ze.
Sanne vond de pop ook erg mooi. 'Baby,' zei ze, waarop Lisanne triomfantelijk zei: 'Zie je wel, tante Sanne zegt ook Baby.'
Tirza, Hans en Gertjan waren de volgende gasten. Zij hadden een badje voor de pop meegebracht.
Even later werd er weer gebeld. Lisanne keek door het raam. 'Oma Liesbeth en tante Trea.' Ze rende naar de deur.
Tim dook meteen de keuken in. 'Ik ga vast koffiezetten.'

Tims moeder leek nerveus. Trea had haar na haar schampere opmerking tegen Tim flink de les gelezen, en het vooruitzicht het contact met Tim en zijn gezin te verliezen, had haar toch aangegrepen. Ze liep wat aarzelend naar de keuken en zei tegen Tim: 'Sorry voor laatst.'
Hij knikte. 'Goed.' Daarna ging hij verder met de koffie. Lisanne brak de spanning door haar pop aan oma en tante Trea te laten zien en hen mee te tronen naar de kamer, waar haar andere cadeaus lagen. Van tante Trea kreeg ze een pyjamaatje voor de pop, en van oma Peters een briefje van vijf, 'voor in je spaarpot'.
Toen even later Lobke en Roel arriveerden en die een wiegje voor de babypop meebrachten, was Lisannes geluk compleet. 'Nu kan de baby bij mij op de kamer slapen.'
Het werd een gezellige ochtend. Tims moeder zat er wat stilletjes bij, maar dat leek niemand op te vallen. Lobke had de foto's van de echo meegebracht, die ze met een blij gezicht aan iedereen liet zien. 'Ik ben nu elf weken zwanger,' zei ze, 'en alles zag er goed uit. Zo gaaf om het te zien bewegen en het hartje te zien kloppen!'
Hanneke knuffelde haar dochter nog eens extra. Zij had mee gemogen toen Lobke voor de echo moest en vond het een wonderlijke ervaring. Ze dacht terug aan al de zware ziekenhuisopnames die Lobke achter de rug had. De bevalling zou ook in het ziekenhuis plaats moeten vinden, maar dat was dit keer voor een hopelijk vreugdevolle gebeurtenis.
Aafke nam Tirza even apart. 'Heb je nog wat van het Leger gehoord?'
'Nee, nog niks. Ik wou maar dat die officier belde, ik zit zo in spanning.'
'Ik wil een dezer dagen toch maar aan Tim vertellen waar we mee bezig zijn,' zei Aafke. 'Het gaat me steeds meer dwarszitten dat ik dit achter zijn rug om doe.'
'Lijkt me een prima idee,' vond Tirza. 'Als die officier besluit dat we contact mogen leggen, zullen we dat toch een keer tegen hem moeten zeggen.'

Toen ze die avond samen op de bank zaten uit te puffen van de drukte van de dag, zei Aafke tegen Tim: 'Ik heb iets op te biechten.'

'O?'
'Ik hoop dat je niet boos wordt.'
'Vertel maar.'
'Tirza en ik zijn op zoek gegaan naar jullie vader.'
Ze zweeg om zijn reactie af te wachten.
Tim hoorde haar woorden, maar hij werd dit keer niet boos. Hij zag alleen weer dat kleine jongetje van vanmorgen voor zich, dat zo'n behoefte had aan een veilige arm om zich heen. Dit keer lag er geen Lisanne tussen hen in. Hij schoof naar Aafke toe, krulde zich op en legde zijn hoofd op haar schoot.
Aafke sloeg haar arm om zijn schouders en ging met haar hand door zijn haar. Zijn houding ontroerde haar.
Toen hij bleef zwijgen, ging ze verder: 'We hebben hem nog niet gevonden, maar het schijnt niet zo goed met hem te gaan. We wachten nu op een telefoontje van het Leger des Heils. Zij weten waar hij is.'
Tim sloot zijn ogen en genoot van Aafkes hand, die nog steeds door zijn haar streek. Zo zacht, zo fijn... Even later was hij vast in slaap.
Aafke legde voorzichtig haar hand stil op zijn hoofd en staarde voor zich uit. Had hij wel gehoord wat ze verteld had?

14

Het verlossende telefoontje kwam de dinsdag na Lisannes verjaardag.

'Willen jullie weer langskomen? Dat praat gemakkelijker dan door de telefoon.'

En dus zaten Tirza en Aafke de volgende dag weer in het kantoor van de officier.

'Sorry dat het even duurde,' begon ze, 'maar we wilden hier heel zorgvuldig mee omgaan.'

'Dat begrijpen we,' zei Tirza namens hen beiden, en ze boog zich nieuwsgierig voorover. Nu kwam het!

'Je vader is ernstig ziek,' vertelde de officier. 'Hij heeft levercirrose, dat veroorzaakt is door zijn langdurige alcoholgebruik. Hij ligt al een paar weken in een ziekenhuis in Rotterdam. De behandeling lijkt wel aan te slaan, maar hij moest onmiddellijk stoppen met drinken, en daar heeft hij het erg moeilijk mee. Het leven heeft voor hem weinig zin. Enerzijds hopen we dat het contact met zijn kinderen voor hem een nieuwe impuls zal zijn om het leven vast te grijpen, anderzijds zijn we bang dat dat voor hem niet meer dan een strohalm zal zijn als jullie besluiten om na één of twee keer af te haken omdat het contact niet voldoet aan jullie verwachtingen.'

Ze zuchtte even. 'We hebben overleg met zijn zoon gehad, en we weten niet of we het risico aandurven. Als we het hem zelf zouden vragen, denken we dat hij heel blij zal zijn dat jullie contact zoeken, maar we willen hem niet blij maken met een dode mus. Begrijp je? Jullie moeten er daarom goed over nadenken of jullie dit door willen zetten, niet alleen vanuit jullie eigen behoefte, maar ook rekening houdend met die van hem.' Ze leunde achterover en keek hen vragend aan. 'Dus?'

Tirza vroeg: 'U zei dat u overleg had gehad met zijn zoon. Betekent dat...?'

De officier knikte. 'Ja. Ties, de zoon uit je vaders tweede huwelijk, stond hier twee jaar geleden al op de stoep. Toen zijn ouders net gescheiden waren, zagen ze elkaar nog af en toe, daarna werd dat minder. Zijn moeder had jullie vader toch geregeld foto's gestuurd om hem op de hoogte te houden van de ontwikkelingen van zijn zoon, en ze wist van zijn derde vrouw Saskia dat zijn drankprobleem alleen maar groter werd. Dus toen de laatste keren de post ongeopend terugkwam, vermoedden ze al dat dat probleem hem de das omgedaan had. Na een paar jaar is Ties zelf naar hem op zoek gegaan en hij kwam toen bij ons terecht. Het contact tussen jullie vader en Ties is broos, maar het doet hem wel goed. Sinds Mat in het ziekenhuis ligt, bezoekt Ties hem trouw elke week.'

Ze dacht na. 'Ties had het voorstel dat jullie eerst contact met hem opnemen, en dat lijkt me eigenlijk wel een goed idee. Dan kunnen jullie elkaar leren kennen en hij kan jullie wat meer vertellen over jullie vader.'

'Dat lijkt me een goed plan,' zei Tirza. 'Hoe komen we met hem in contact?'

'Zal ik jullie telefoonnummers aan hem doorgeven?'

'Doet u maar alleen het telefoonnummer van Tirza,' zei Aafke snel. Ze wist niet hoe Tim zou reageren op deze nieuwe informatie. Hij was niet meer teruggekomen op wat ze hem zaterdag verteld had, maar hij wist wel dat ze vanmorgen een afspraak had met Tirza, en hij kon inmiddels zelf wel bedenken waar dat over zou gaan. Stel dat die Ties net naar hen belde als zij niet thuis was, en Tim zou de telefoon opnemen...

'Dat nummer heb ik nog, ik zal het hem geven,' zei de officier.

'Wilt u dat alstublieft zo spoedig mogelijk doen?' vroeg Tirza smekend. 'Omdat het met mijn vader niet zo goed gaat?'

'Dat zal ik doen,' knikte de officier. Daarna stond ze op om hen uit te laten.

Buiten stonden Tirza en Aafke nog een poosje na te praten.

'Bijzonder, hoor. Ik ben op zoek naar mijn vader en krijg er nu een broer bij,' lachte Tirza, maar ze vervolgde op gespannen toon: 'Ik hoop dat we de tijd en de gelegenheid krijgen om mijn vader te ontmoeten.'

Op de terugweg reed Aafke eerst langs de basisschool. Ze had met Tim afgesproken dat zij Lisanne op zou halen, die sinds afgelopen maandag in groep één zat bij meester Koen en het daar prima naar haar zin had. Koen kwam lachend naar haar toe. 'Lisanne was erg verontwaardigd vanmorgen,' vertelde hij. 'Tijdens het speelkwartier waren de jongens uit groep acht aan het voetballen, en toen riep ik naar hen dat ze voorzichtig moesten zijn in de buurt van de kleintjes. Lisanne trok me toen aan mijn mouw en zei boos: 'Meester, ik ben niet klein, hoor, ik ben al groot!''
Aafke lachte ook. 'Tja, dat krijg je ervan als we de hele tijd tegen haar zeggen dat ze naar school mag omdat ze al zo groot is. Op het kinderdagverblijf was zij de oudste en nu is ze ineens weer de jongste, een hele overgang dus.'
'Net zoiets als brugpiepers,' beaamde Koen. 'Maar ze zal het wel redden, ze doet prima mee en doet niet onder voor haar klasgenootjes.'
Toen ze thuiskwamen, zat Stijn in de box en lag Tim op de bank. Aafke voelde wat wrevel opkomen. Tim had zo te zien de hele ochtend niets gedaan. De ontbijtboel stond nog in de keuken, er was nog niet gestofzuigd, hij had alleen maar koffie voor zichzelf ingeschonken, zijn halfvolle kom stond nog op tafel. Ze probeerde de wrevel weg te duwen. Hij was tenslotte niet voor niets ziek thuis.
Hij vroeg niet waar ze geweest was, maar stond moeizaam op om de tafel te gaan dekken. Na het eten legde Aafke Stijn op bed, en ook Lisanne wilde gaan slapen. Die was toch wel moe na drie enerverende dagen school.
Toen Aafke de vaat had opgeruimd, ging ze naast Tim op de bank zitten. 'Is het nog gelukt met die vragenlijst?' vroeg ze. Ze had hem er de afgelopen dagen mee zien worstelen.
Hij schudde zijn hoofd. 'Nee, ik kom er maar niet verder mee. Ik had hem begin deze week al op moeten sturen naar Lars, zodat hij daar morgen op in kon gaan, maar zoals het nu gaat, kan ik hem morgen nog niet eens meenemen.'
'Je kunt ook invullen wat je wel weet, en hem dan toch morgen meenemen. Misschien dat je de rest dan samen met Lars kunt

invullen,' opperde Aafke.
Tims gezicht klaarde wat op. 'Dat is een idee,' zei hij. 'De meeste vragen gaan wel, maar met name de vragen over mijn ouders en zussen vind ik erg moeilijk.'
'En dan blijk je ook nog een broer te hebben,' flapte Aafke eruit. Ze sloeg van schrik haar hand voor haar mond.
Tim keek haar stomverbaasd aan. 'Een broer? Hoe bedoel je?'
Aafke zuchtte. Stom! Nu moest ze het wel vertellen. 'We hebben gehoord dat jullie vader in zijn tweede huwelijk nog een zoon heeft gekregen.' Ze keek met een scheef oog naar Tim. Hoe zou hij reageren?
'Zo. Mooi is dat!' zei Tim schamper. 'Hij had er al drie, maar daar keek hij niet eens naar om. Wat moest hij dan nog met een vierde kind?'
Aafke ging daar niet op in. 'Je vader is ernstig ziek en ligt in het ziekenhuis,' zei ze. 'Hij heeft levercirrose.'
'En wat heb ik daarmee te maken?' vroeg Tim hard. 'Moet ik hem soms op gaan zoeken in het ziekenhuis? Hij was er toch ook nooit toen ik hem nodig had?'
Aafke zocht naar de juiste woorden, maar vond ze niet. Stil zaten ze naast elkaar.
Tim worstelde met zichzelf. De mededeling van Aafke dat zijn vader nog een kind verwekt had, had hem verbijsterd. Een doffe pijn trok rond zijn hart. Hij zag beelden voor zich van die man met zijn andere zoon, een kind waar hij misschien wel goed voor gezorgd had, waar hij misschien wel een echte vader voor geweest was. Hij kromp ineen. Hij wilde die pijn niet voelen!
Hij stond op. 'Ik ga een poosje liggen,' zei hij.
'Misschien kun je beter een eindje gaan wandelen, het is zulk heerlijk weer buiten,' zei Aafke. Maar Tim reageerde niet en liep naar boven.
Aafke liet haar schouders hangen en legde haar handen in haar schoot. Ze zuchtte. Gezellige boel weer.

Terwijl Tim donderdag naar zijn afspraak met de psycholoog was, belde Tirza. 'Ik ben gisteravond gebeld,' zei ze opgewonden. 'Door Ties Peters.'

'En?' vroeg Aafke nieuwsgierig.
'Hij wil een keer langskomen om over onze vader te praten,' zei Tirza. 'Ik heb hem gezegd dat ik eerst met jullie en met Trea wil overleggen, en dat ik hem dan terug zal bellen.'
'Nou, ik heb tegen Tim gezegd dat hij een broer heeft en dat zijn vader ziek is, maar hij wil er nog steeds niets over horen,' zei Aafke gelaten. 'Misschien dat Trea wel positief is?'
'Ik ga haar straks bellen. Jammer dat Tim zo reageerde. Wil jij Ties niet ontmoeten?'
Aafke dacht even na en zei toen: 'In een later stadium wel, maar nu nog maar niet. Zolang het met Tim nog niet goed gaat...'
'Hoe is het met hem?' vroeg Tirza. 'Ik vond hem er wel wat beter uitzien zaterdag.'
'Nou, hij slaapt in elk geval wat beter sinds hij slaaptabletten heeft, en hij loopt nu bij een psycholoog. Daar is hij nu naartoe.'
'Zo zo,' zei Tirza. 'Een hele stap voor hem, lijkt mij. Ik kan me voorstellen dat je in deze fase genoeg hebt aan jezelf en je gezin. Vind je het goed dat wij dan wel een afspraak maken? Ik ben zo benieuwd naar hem.'
'Prima hoor,' zei Aafke. 'Houd je me wel op de hoogte?'
'Tuurlijk! Doei.'

Intussen zat Tim in de kamer van Lars. Hij had de vragenlijst overhandigd met de woorden: 'Hij is nog niet helemaal ingevuld. Daarom kon ik hem niet opsturen begin deze week.'
Lars nam de lijst aan. 'Wat vond je er moeilijk aan?'
'Die vragen over m'n ouders.' Tim zuchtte. 'Ik heb vorige keer tegen je gelogen toen ik zei dat m'n vader dood was. Maar hij is zo goed als dood voor me, sinds hij mijn moeder en ons in de steek heeft gelaten toen ik drie was. Hij heeft al die jaren geen contact met ons gezocht.'
Lars keek ernstig. 'Dank je voor je eerlijkheid. Dat is wat mij betreft noodzakelijk om verder met elkaar te kunnen, anders heeft deze hele behandeling geen zin. Ik verwacht dan ook van je dat het bij die ene leugen blijft.'

Tim knikte. 'Beloofd.'
'Gaan we met elkaar verder?'
Tim knikte weer. 'Wat mij betreft wel.'
'Goed, ik zie het met jou ook wel zitten, dat is dan afgesproken,' zei Lars. Toen ging hij verder: 'Herinner je je vader nog?'
Tim schudde zijn hoofd. 'Bijna niks. Ik weet niet eens meer hoe hij eruitzag.'
'Je zei dat hij al die jaren geen contact met jullie heeft gezocht. Horen jullie via via wel eens wat over hem, bijvoorbeeld via zijn familie?' vroeg Lars.
'Daar hebben we ook geen contact meer mee, maar gistermiddag hoorde ik wat over hem. Mijn zus is hem namelijk gaan zoeken. Sinds zij zelf moeder is geworden, kreeg ze behoefte aan contact met hem.'
'Hoe vond je dat?'
'Ik vond het maar niks. Ik bedoel... Wat heeft ze bij die man te zoeken? Hij heeft nooit naar ons omgezien.' Tim wond zich zichtbaar op.
'Wat zou je zus bij hem zoeken?' vroeg Lars.
Tim haalde zijn schouders op. 'Weet ik 't.'
'Probeer eens een reden te verzinnen?'
Tim ging voorover zitten, met zijn ellebogen op zijn knieën en zijn kin op zijn vuisten. Hij was een poosje stil. Lars zag dat zijn gezicht af en toe verkrampte. Ten slotte zei hij: 'Ik weet het echt niet.'
'Geeft niet. Heeft ze hem al gevonden?'
'Hij schijnt in het ziekenhuis te liggen, iets aan zijn lever.'
'Zo, dat is niet zo best.'
'Nee.' Tim wachtte even, toen barstte hij los: 'Nadat hij ons in de steek gelaten had, blijkt hij nog een zoon gekregen te hebben.'
'O? Hoe vind je dat?'
Tim klapte meteen dicht. 'Daar hoef ik niks van te vinden. Dat is zijn leven, daar heb ik niks mee te maken.'
'Het gaat hier dus wel om je halfbroer.'
Tim schudde zijn hoofd. 'Ik heb geen broer, nooit gehad. Ik ken die man niet en ik wil hem niet leren kennen ook.'
Lars besloot het onderwerp 'vader' te laten rusten tot een volgende

keer. 'Vertel eens iets over je moeder. Want ik zie dat je die vragen ook niet ingevuld hebt.'
'Mijn moeder is na de scheiding een verbitterde vrouw geworden, die alle foto's van mijn vader verscheurd heeft en niets meer van mannen wil weten.'
'Dat klinkt zwaar,' vond Lars.
Tim haalde met een kort gebaar zijn schouders op. 'Och, ze heeft het ook niet makkelijk gehad, hij liet haar uiteindelijk alleen opdraaien voor de opvoeding van drie kleine kinderen.'
'Hoe was haar houding tegenover jou?'
'O, gewoon.'
'Wat is gewoon?'
'Nou, gewoon, ze zorgde voor m'n eten, waste m'n kleren en zo.'
'Ik vraag niet wat ze voor je deed, maar hoe haar houding was naar jou. Je vertelt dat ze niets van mannen wilde weten. Jij bent toch ook een man?'
'O, dat. Nou, dat zal wel van invloed geweest zijn,' mompelde Tim binnensmonds.
'Wat zeg je?'
'Dat zal wel van invloed geweest zijn.'
'Deed ze tegen jou anders dan tegen je zussen?'
'Ze is een kille vrouw, die ook tegen mijn zussen niet hartelijk was. Maar dat was nu eenmaal zo.'
Lars trok een verdrietig gezicht. 'Dat is triest om te horen.'
Tim merkte dat hij geïrriteerd raakte. Hoe kon het dat Lars verdrietig werd bij het horen van zijn verhaal, terwijl hijzelf alleen maar kilheid voelde als het om zijn moeder ging?
'Zo slecht hadden we het anders niet, hoor. We kregen op tijd te eten, hadden een dak boven ons hoofd, kregen schone kleren. We hadden genoeg redenen om haar dankbaar te zijn. Tenslotte heeft zij ons niet in de steek gelaten.'
'Dankbaar...' Lars leek te gruwen bij dat woord. 'Een kind hoeft zijn ouders toch niet dankbaar te zijn omdat ze voor hem zorgen? Daar zijn ze toch ouders voor?'

'Mijn vader was ook een ouder, maar die heeft niet voor ons gezorgd, dus zo vanzelfsprekend is dat niet.'
Lars keek Tim bedachtzaam aan, en toen vroeg hij: 'Je hebt zelf ook kinderen. Wat voor soort ouder ben jij?'
Tim voelde zich wat overvallen door die vraag. Tja, wat voor soort ouder was hij zelf? Als hij eerlijk was, was hij de laatste tijd niet zo'n leuke vader, want hij kon nog steeds weinig van de kinderen hebben en liet de zorg meestal aan Aafke over. Met Stijn had hij nog nauwelijks een band opgebouwd.
'Tim?'
'Niet zo'n leuke vader als eerst...'
'Wat voor soort vader was je dan voor je ziek werd?'
Dat leek lang geleden, Tim moest in zijn geheugen diepen. 'Toen we alleen Lisanne nog hadden, deed ik heel veel met haar. Ik ging met haar fietsen, las haar voor, speelde met haar, knuffelde haar...' Hij viel stil. Nu wil je alleen maar zelf geknuffeld worden, schoot het door hem heen. Hij dacht aan de steek van jaloezie op de ochtend van de verjaardag van Lisanne. Hij zag het beeld van Jasper en diens vader weer voor hem.
'En met je zoontje, wat voor soort vader ben je naar hem?'
'Daar heb ik nog niet zo'n band mee, die is nog zo klein.' Terwijl hij het zei wist hij dat dat geen reden kon zijn. De volgende vraag kwam dan ook niet onverwacht.
'Kreeg je met je dochtertje ook pas later een band?'
Tim herinnerde zich weer dat hij bij de geboorte van Stijn met een bijna verliefde blik naar Lisanne gekeken had. Nee, moest hij zichzelf toegeven, bij Lisanne was het liefde op het eerste gezicht geweest. Hij schudde zijn hoofd. 'Nee.'
'Wat doe je allemaal met hem?'
'Als ik mijn oppasdag heb, geef ik hem de fles en zijn fruithap, ik verschoon hem als dat nodig is, doe hem in bad, dat soort dingen.' Hij wachtte even, het drong ineens tot hem door dat dat wel erg summier was. 'Op de andere dagen doet Aafke dat meestal, maar dat komt wel weer als ik me weer wat beter voel,' verdedigde hij

zich tegenover zichzelf.
'Knuffel je hem ook?'
Tim haalde wat onwillig zijn schouders op. 'Niet genoeg, denk ik.'
'Hoe zou dat komen, denk je?'
Tim liet zijn hoofd zakken en zuchtte. Daar had je het. Hij peuterde aan zijn nagels.
'Tim?'
Tim zweeg. Hij vond het zelf te gek voor woorden om nu te zeggen wat hij dacht.
'Tim, weet je nog dat je beloofd hebt eerlijk te zijn? Ik vind niets gek, zeg maar wat je denkt.'
Tim vocht tegen zijn tranen. Vanuit de omgeving van zijn hart baande zich een hunkerend gevoel naar boven, dat bleef steken in zijn keel. Hij slikte.
De stilte hing als een zware deken in de kamer.
Tim zuchtte en zei toen haperend: 'Ik dacht... Ik...' Hij haalde zijn hand door zijn haar. Dit was moeilijk!
'Vind je het zo moeilijk?'
Tim knikte. 'Ik wil... Soms wil ik zelf alleen maar geknuffeld worden,' zei hij met een snik in zijn stem. Hij slikte weer. Hij ging hier toch zeker niet zitten huilen!
'Dat is een heel normale, menselijke behoefte,' zei Lars. 'In elk geval niets om je voor te schamen.'
Alsof de woorden van Lars daarvoor toestemming gaven, breidde de hunkering binnen Tim zich uit, zocht zich een weg naar zijn schouders, zijn buik, tot het gevoel zijn hele romp vulde als een bom die op uitbarsten stond.
Tim sloot zijn ogen en balde zijn vuisten. Ga nou niet zitten huilen! Zijn nek spande zich, er trok een kramp van zijn ruggengraat naar zijn achterhoofd. Zijn schouders kromden zich, zijn nagels groeven zich in zijn handpalmen. NIET... HUILEN! Zijn ademhaling werd dieper.
De hunkering deed pijn in zijn hele lijf, zocht naar een uitweg, leek te branden in zijn borstkas.
'Tim, wat voel je nu?'

Tims gezicht verkrampte. Zijn lichaam maakte hikkende bewegingen, alsof zijn snikken van heel diep moest komen. Hij maakte er geen geluid bij en er kwamen geen tranen, maar het schokken werd heviger, tot hij een diepe zucht slaakte en een paar keer diep ademhaalde. Toen hij wat rustiger werd, haalde hij zijn hand door zijn haar en zei: 'Sorry.'
'Geeft niks,' zei Lars. 'Laat het maar gebeuren. Misschien lucht het wel op.'
Ze zaten een poosje zwijgend tegenover elkaar. Tim staarde met een verdrietig gezicht naar de grond. Zijn gebalde vuisten ontspanden zich langzaam.
Na een tijdje zei Lars: 'Ik wil dat je voor de volgende keer een brief schrijft aan je moeder.' Toen hij zag dat Tim schrok, ging hij verder: 'Niet om hem aan je moeder te versturen, maar voor jezelf. Schrijf maar alles op wat er bij je opkomt wanneer je aan haar denkt. En breng die brief de volgende keer mee, ook als hij nog niet af is.'
Tim zuchtte. Hij wreef met zijn handen over zijn gezicht. Zijn lichaam voelde zwaar en moe, alsof hij een hele dag in de tuin had staan spitten.
'Wat gaat er nu door je heen?' vroeg Lars zacht.
Tim gaf geen antwoord maar schudde alleen zijn hoofd. Hij zuchtte nog eens. Toen zei hij triest: 'Ik kan niet eens huilen...'
Zijn blik viel op de klok. Hij had een afspraak tot kwart voor elf, maar het liep al tegen elven. Hij schrok en stond op. 'Sorry... ik moet weg.'
Lars zag hem op de klok kijken. 'Doe maar rustig aan. Ik heb hierna geen afspraak staan.'
Maar Tim voelde zich ineens opgejaagd. Hij pakte zijn jas en trok die gehaast aan. Hij keek Lars nauwelijks aan toen hij hem groette en de praktijk uit liep. Buiten kreeg hij met zijn trillende vingers pas na enkele pogingen zijn fiets van het slot. Zijn benen trilden zo dat hij niet op de fiets durfde te stappen, bang dat hij zou omvallen. Dan maar lopen naast de fiets. Maar even verderop ging het steeds slechter. Zijn hart begon wild te kloppen, zijn vingers tintelden, en hij voelde de paniek als een bekende maar gehate gast bezit nemen van zijn lijf. Hij leunde tegen een lantaarnpaal, boog zijn hoofd naar achteren door de

kramp in zijn nek. Rustig, rustig, herhaalde hij in zichzelf. Door een poosje zijn adem in te houden zakte de aanval. Enkele voorbijgangers keken hem bevreemd aan, en een oude mevrouw vroeg bezorgd: 'Gaat het wel, meneer?'
Hij knikte. 'Dank u, het gaat wel weer, ik werd even niet goed.' Hij pakte zijn fiets en strompelde naar huis.

15

Na het laatste bezoek aan de psycholoog trok Tim zich nog meer terug in zichzelf. Aafke maakte zich steeds meer zorgen, niet alleen om hem, maar ook om de kinderen. Kon Tim in deze toestand nog wel voor hen zorgen op zijn papadag?
Toen 's zaterdags Hanneke en Steven met Sanne op bezoek kwamen, deelde Aafke haar zorgen met haar moeder.
'Zal ik de komende weken op dinsdag op komen passen, tot het weer wat beter gaat met Tim?' stelde Hanneke voor.
'Maar je werkt toch dinsdags bij tante Els in de bruidswinkel?' wist Aafke.
'Ik kan vragen of ik de dinsdag kan verzetten naar de woensdag of de vrijdag. De stagiaire die ze op dit moment hebben is een handige meid, die neemt al veel over. Ik denk dat het wel zal gaan.'
Aafke aarzelde. Hoe zou Tim het vinden? Die deed zich tegenover zijn schoonouders soms stoerder voor dan hij zich voelde.
'Ik zal het er vanavond met Tim over hebben,' zei ze. 'Ik bel dan nog wel.'
Toen ze het 's avonds voorstelde aan Tim, reageerde hij in eerste instantie afwijzend, zoals ze al verwacht had. 'Waarom? Eén zo'n dag per week moet ik dat toch gewoon kunnen?'
'Het is ook maar tijdelijk,' wierp Aafke tegen. 'Tot je weer wat beter bent.'
'Doe ik het niet goed genoeg?' vroeg Tim wat wrevelig.
'Nou, eerlijk gezegd ga ik op dinsdagen niet met een gerust hart weg. Je bent zo in jezelf gekeerd. Dat heb je blijkbaar nodig, maar de kinderen zijn nog zo afhankelijk, ik zou het een geruster idee vinden als mam hier die dag is.'
Tim vond het eigenlijk allang best. Hij was meestal bekaf na zo'n dag, en het kostte hem steeds meer energie om zijn aandacht bij de kinderen te houden. Energie die hij niet had. 'Nou, vraag het dan maar.'
En dus kwam Hanneke tijdelijk dinsdags oppassen.

'Tim, Lisanne en ik gaan zo weg. Mam is er al.' Aafke boog zich voorover om Tim gedag te kussen. Lisanne stond naast haar.
'Oké, werk ze.' Tim gaf Aafke en Lisanne een kus en draaide zich nog eens om. Door de slaaptabletten sliep hij de laatste tijd gelukkig wel beter, maar ze zorgden er ook voor dat hij 's ochtends met een duf hoofd wakker werd. Het afbouwen was nog niet erg gelukt, in overleg met de huisarts nam hij er nog steeds elke avond eentje in.
Hij hoorde beneden zijn schoonmoeder met Stijn in de weer. Ze keuvelde gezellig met hem en Tim hoorde Stijn hikkend lachen.
Hij trok het dekbed over zijn hoofd om de geluiden niet te hoeven horen. Geluiden die hem wezen op het gemis dat hij diep vanbinnen voelde, en dat hij niet wilde voelen. Want wat had het voor zin? Hij kon de tijd toch niet terugdraaien.
Hij had een paar keer geprobeerd te beginnen aan de opdracht van Lars: een brief aan zijn moeder. Maar hij had nog geen letter op papier gekregen. Wat moest hij erboven zetten? *Lieve moeder*? Belachelijk. *Beste moeder*? Net zo belachelijk. Alleen *Moeder*? Of *Liesbeth*?
Verder was hij nog niet eens gekomen. Zodra hij een pen pakte ging er van alles door hem heen, maar het was zo'n verstikkende warboel dat hij het niet kon verbinden met letters en woorden die enige betekenis hadden.
Overmorgen moest hij weer naar Lars, maar zoals het er nu uitzag, zou hij geen brief mee kunnen nemen.
Hij hoorde Hanneke de trap op komen. 'Zo, we zullen jou eens lekker in bad doen,' hoorde hij haar tegen Stijn zeggen. Ze liep door naar de babykamer, vanwaar haar gekeuvel en Stijns kirgeluidjes tot Tim doordrongen.
Hanneke had toch ook genoeg op haar bordje gekregen in haar leven, bedacht hij. Haar middelste dochter Sanne was al vanaf haar jeugd zwaar gehandicapt, en de ziekte van Lobke had er destijds ook behoorlijk in gehakt. Maar die gebeurtenissen hadden van haar geen verbitterde vrouw gemaakt. Hoe kwam het dat Hanneke zo'n blijmoedig mens was, en dat zijn eigen moeder die blijmoedigheid ten enenmale miste? Terwijl zijn eigen moeder drie gezonde kinderen

had. Oké, haar man had haar in de steek gelaten, maar dat overkwam wel meer vrouwen, en die waren toch ook niet allemaal verbitterd geworden?
Hij had daar eigenlijk nooit zo bij stilgestaan. Tot nu toe. Vanwege de opdracht van Lars.
'Schrijf een brief aan je moeder.' Waarom zou Lars hem die opdracht gegeven hebben? Een brief aan zijn vader was misschien veel logischer geweest. Uiteindelijk had die hen in de steek gelaten. En waar Tim vroeger een lege plaats in zijn hart had gehad als het om zijn vader ging, leek die lege plaats zich de laatste tijd te vullen met boosheid. En dat was zo sinds Tirza en Aafke naar hem op zoek waren. Tim merkte dat aan de irritatie die hij gevoeld had toen Tirza vertelde dat ze contact met haar vader wilde zoeken. Aan de weerstand die hij voelde toen Aafke verteld had dat ze samen met Tirza op zoek was gegaan. Aan de agressie die hij voelde opkomen toen Lars hem naar zijn vader gevraagd had. Nee, een brief aan zijn vader was veel logischer geweest dan een brief aan zijn moeder.
Hij hoorde hoe Hanneke Stijn in bad deed. Hij hoorde haar kirrende stem: 'Kwam een muisje aangelopen, zo in Stijn z'n... nékje gekropen,' gevolgd door geschater van Stijn. Hij vergeleek het met de manier waarop zijn eigen moeder reageerde op haar kleinkinderen. Wat voor moeder was zij eigenlijk geweest voordat zijn vader ervandoor gegaan was?
Trea had ook wel goede herinneringen aan hun vader, had ze gezegd toen ze bij Tirza op kraamvisite geweest waren. Zou Trea zich ook nog herinneren hoe hun moeder voor de scheiding geweest was? Toch eens navragen.
Hij keek op de wekker. Halfnegen. Hij zou er maar uit gaan, hij sliep nu toch niet meer.
Hanneke was inmiddels klaar met Stijn in bad doen. 'Goeiemorgen,' zei ze. 'Stijn, kijk eens wie daar is. Papa! Krijgt papa nog een kusje?'
Ze tilde Stijn naar Tim toe, en Tim voelde Stijns natte mondje op zijn wang. Stijn deed een poging om Tims haar te grijpen, maar Tim dook weg.

'Ik ruim het badje wel op, dan ga ik daarna douchen,' zei hij. 'Ik kom zo naar beneden.'
'Da's goed, hoor, doe maar rustig aan. Ik leg Stijn nog een poosje terug.'
Even later zat Tim aan het ontbijt, terwijl Hanneke buiten zingend de was ophing. Tim staarde naar haar.
'Hoe doe je dat toch?' vroeg hij toen ze weer binnenkwam.
'Hoe doe ik wat?' vroeg ze verbaasd.
'Zo'n blijmoedig mens blijven, ondanks alles wat je overkomt?'
Hanneke pakte een stoel en kwam bij hem aan tafel zitten. 'Waarom zou ik niet blijmoedig zijn?' Ze zette haar ellebogen op tafel en leunde met haar kin op haar gevouwen handen, terwijl ze hem nieuwsgierig aankeek.
Tim haalde zijn schouders op. 'Nou, jullie hebben toch vaak zorgen om Sanne, en toen met Lobke... Je hebt het niet altijd even gemakkelijk gehad.'
'Dat is waar,' zei Hanneke en ze knikte. 'Maar kan ik dan niet meer blijmoedig zijn volgens jou?' Ze hield haar hoofd schuin.
Tim leunde achterover. 'Nou, als ik naar mijn eigen moeder kijk...'
Jouw moeder koestert haar pijn, dacht Hanneke, maar ze zei alleen: 'En? Wat zie je dan?'
'Mijn moeder... Ik wou dat ze wat van jouw kracht had gehad.' Tim zuchtte.
Hanneke zweeg. Hoe moest ze hier nu op reageren?
De stilte hing even tussen hen in. Toen ging Tim verder: 'Ik lag vanmorgen naar je te luisteren, naar hoe je geniet van Stijn. En toen bedacht ik dat mijn moeder nooit geniet van haar kleinkinderen. En misschien ook nooit zo van ons genoten heeft toen we klein waren. Maar dat weet ik dus niet. Ik herinner me dat in elk geval niet.'
Hij wreef met zijn handen over zijn gezicht. Hanneke zag een verdrietige blik in zijn ogen. Ze zei zacht: 'Jouw moeder heeft het niet gemakkelijk gehad in haar leven.'
'Jij toch ook niet?' zei Tim bijna wanhopig. 'Ik bedoel... Jullie hebben allebei akelige dingen meegemaakt, maar jij bent toch ook niet zo...

zo... zo bitter geworden?' Hij zuchtte weer. 'Ik weet dat het niet eerlijk is om mensen met elkaar te vergelijken, maar onwillekeurig doe ik dat toch.'
'Dat is heel menselijk,' glimlachte Hanneke.
'Dus vandaar mijn vraag: Hoe doe je dat toch?' vroeg Tim weer.
'Tja, hoe doe ik dat?' Hanneke dacht even na. Toen zei ze: 'We hebben wel een aantal akelige dingen meegemaakt, maar toch ook een heleboel fijne dingen. En dat Lobke nu zwanger is, is toch ook iets om dankbaar voor te zijn? Ik weet nog dat ze net ziek geworden was, en dat ze bang was om dood te gaan. Toch ging ze niet in een hoekje zitten mokken, maar ze zette haar schouders eronder en ging ervoor. Ik had daar veel bewondering voor en realiseerde me toen dat dat zo'n beetje onze levenshouding geworden was. Mijn geloof heeft me daarbij geholpen, maar ik denk dat de ziekte van Sanne daar ook een belangrijke rol in gespeeld heeft. Sanne was er niet bij gebaat als wij in een hoekje waren gaan zitten treuren omdat we zoveel zorgen kregen. Sanne had ons hartstikke nodig.'
'En dus brachten jullie dat op. Voor Sanne.'
Hanneke schudde haar hoofd. 'Niet alleen voor Sanne. We hadden nóg twee kinderen die onze aandacht en liefde nodig hadden. En als je zegt dat we het 'opbrachten', lijkt het alsof het alleen van onze kant kwam, en daarmee doe je Sanne tekort. Want zij gaf ons ook een hoop terug.'
'Maar hoe doe je zoiets nou?' hield Tim vol. 'Mijn moeder had na haar scheiding ook drie kleine kinderen die haar aandacht en liefde nodig hadden, maar dat was voor haar blijkbaar niet voldoende reden om positief in het leven te staan. Dus bij haar werkte dat niet zo.'
'Ik heb eens ergens een wijze spreuk gelezen in de vorm van een gebed, je kent hem misschien wel,' zei Hanneke. 'Het gaat zo:
God, geef mij de kalmte om te accepteren wat ik niet kan veranderen,
de moed om te veranderen wat ik wel kan veranderen,
en de wijsheid om het verschil te kennen.
Kijk, dat Sanne epilepsie kreeg, daar konden we niets aan veranderen. En ook niet aan het feit dat Lobke leukemie kreeg. Maar de manier

waarop we daarmee omgingen, daar konden we wel wat aan doen.'
'Mijn moeder heeft die spreuk vast nooit gelezen,' schamperde Tim.
'Jouw moeder lijkt haar pijn te koesteren, heb ik weleens gedacht,' zei Hanneke nu toch hardop. 'Het lijkt alsof het weggaan van je vader haar zo diep gekwetst heeft, dat ze als het ware versteend is, er is bij wijze van spreken geen beweging meer in te krijgen.'
'Misschien is dat het wel,' zei Tim grimmig. 'Maar daar werden wij wel de dupe van.'
Hij verwachtte min of meer dat Hanneke hem meewarig bij zou vallen, maar ze zei: 'Dat hangt van jullie zelf af.'
'Hoe bedoel je?'
'Nou... Ik bedoel: dat jullie moeder versteend is in haar pijn, daar kunnen jullie niets aan veranderen. Maar de manier waarop jullie daarmee omgaan, daar heb je wel invloed op.'
Ze keek hem nieuwsgierig aan. 'Tirza is toch ook een heel ander soort moeder dan jullie eigen moeder? En Trea is toch ook geen verbitterde vrouw geworden? Zij komen op mij niet over als mensen die zich de dupe voelen. En kijk eens naar jezelf? Zie jij jezelf als iemand die de dupe is?'
Tim beet op zijn nagel en dacht diep na. Was hij de dupe van de verbittering van zijn moeder?
'Doordat mijn vader haar in de steek liet, kreeg ze een haat aan alle mannen. En ik was ook een man... Ja, ik denk wel dat ik daarvan de dupe geworden ben.' Hij hoorde zelf hoe verbitterd zijn stem klonk.
'En hoe ga je daarmee om?' vroeg Hanneke.
Tim haalde zijn handen door zijn haar. 'Niet. Wat kon ik eraan veranderen? Ik was een kind.'
'Een kind dat toch een mooi mens geworden is,' zei Hanneke. 'Een fijne man waar mijn dochter als een blok voor viel.'
'Dat komt alleen omdat ik een buurman kreeg die goed voor me was en van wie ik veel geleerd heb. En omdat ik bij jullie over de vloer kwam.'
'Nee, nu leg je de verantwoordelijkheid voor wie je bent buiten jezelf. Ik ben geen psycholoog, maar ik denk dat jij bent geworden wie je

bent omdat je ervoor gekozen hebt om op een andere manier met pijn om te gaan dan je moeder.'
Tim lachte wat schamper. 'Is dat zo? Misschien lijk ik wel meer op haar dan ik wil. Misschien koester ik mijn pijn ook wel.' Hij schoof ruw zijn stoel naar achteren en stond op. 'Ik ga een eind fietsen, dit komt me te dichtbij.'

Tim trapte de pedalen rond alsof zijn leven ervan afhing. Het gesprek met Hanneke bleef maar door zijn hoofd malen. Versteend... geen beweging in te krijgen... de dupe...
Het toegeven aan zichzelf dat hij zich de dupe voelde van haar verbitterde houding, raakte hem diep. Zijn eigen verbitterde woorden raakten hem nog meer. Ging hij op zijn moeder lijken? Maar dat wilde hij niet!
Hij week uit voor een auto die toeterend voor hem langs reed. De chauffeur tikte met zijn wijsvinger tegen zijn voorhoofd en vormde met zijn mond het woord 'idioot!' Tim keek om zich heen. O, hij was blijkbaar door het rode licht gereden. Nou ja, jammer dan.
Toch wat voorzichtiger reed hij langs de Gouwe in de richting van de polder. Het zachtere weer had de laatste dagen voor een uitbarsting van jong groen gezorgd, maar Tim had er geen oog voor. Het woord bleef maar door zijn hoofd malen. De dupe...
Zijn moeder was de vleesgeworden dupe. Zoals zij zich opgesteld had na het vertrek van zijn vader. Zoals haar houding was geweest naar haar kinderen. Zoals zij hun dankbaarheid geëist had, omdat zij hen niet in de steek gelaten had. Zoals zij nog steeds verbitterd was.
Hanneke had gelijk. Zijn moeder koesterde haar pijn, en hield daarmee haar wonden groen, zodat zij haar rol als slachtoffer kon blijven spelen.
Allerlei voorvallen kwamen nu naar boven. Zijn moeder die in huilen uitgebarsten was toen zijn vader met een klap de deur achter zich dichtgetrokken had. Dat ze nauwelijks luisterde als hij met verhalen uit school thuiskwam, maar stil naar buiten zat te staren. De verhuizing naar de flat in Delft. Het berghok dat zijn kamer werd. Hij had

nooit vriendjes thuis durven vragen, omdat hij bang was dat hij uitgelachen zou worden om die kamer. Zijn moeder had het bovendien nooit goedgevonden dat hij vriendjes meenam. De sobere verjaardagen. En altijd maar, bij elke uitgave die gedaan moest worden: 'Als je vader er niet vandoor gegaan was, had het misschien wel gekund, maar nu hebben we daar geen geld voor.' Haar houding naar hem had van hem een schuwe, teruggetrokken jongen gemaakt.

Een snik welde op in zijn keel. Hij werd boos op zichzelf. Wat schiet je er nu mee op om achteraf nog verdrietig te zijn om vroeger? Vroeger komt niet meer terug. En bovendien: die schuwe jongen was hij nu toch niet meer? Kijk eens naar wie hij geworden was? Een mooi mens, zei Hanneke.

Hij keek om zich heen. Was hij hier al? Hij wierp een blik op zijn horloge. Kwart voor elf. Hij moest nodig terug, want om halftwaalf ging Lisannes school uit en het was minstens nog een halfuur fietsen.

Hij keerde om en reed haastig terug naar huis. Hanneke stond voor het raam. Ze liep snel naar de deur toen ze hem zag. 'Hè, fijn dat je er bent, ik werd al ongerust.'

Er schoot hem meteen weer een voorval te binnen. Hij was een jaar of twaalf geweest en zijn moeder was weer om de een of andere reden tegen hem uitgevallen, hij wist niet eens meer waarover. Wat hij nog wel wist, was dat hij haar zó onrechtvaardig vond, dat hij kwaad weggelopen was. Hij had zijn fiets gepakt en was richting het Westland gefietst. Maar na een uur rijden besefte hij dat hij niemand had om naartoe te gaan, en dus was hij maar weer teruggefietst naar huis. Wel extra langzaam, met de gedachte: laat haar maar flink ongerust worden. Maar toen hij tegen zessen thuiskwam, had zijn moeder hem niet eens gemist... Hij voelde nog de ontgoocheling, en hij was nooit meer weggelopen.

'Ga jij Lisanne uit school halen of zal ik dat doen?' vroeg Hanneke. 'Stijn ligt in de box.'

'Ik ga wel even op de fiets,' zei Tim. Hij was blij dat ze niet verder doorvroeg waar hij geweest was.

Hij fietste langzaam naar school, in de hoop dat de meeste ouders al

weg waren als hij aankwam.
Lisanne stond al te wachten, haar handje in de hand van meester Koen, haar rugzakje om haar schoudertjes, een ernstige blik in haar ogen.
'Was je me vergeten?' vroeg ze verwijtend. 'Ik sta al zo lang te wachten.'
Meester Koen vroeg alleen: 'Hoe is het?' Hij wist van de situatie thuis.
'Het gaat wel weer,' zei Tim kort. 'Bedankt voor 't wachten.'
Hij tilde Lisanne op de bagagedrager en wandelde naar huis. Lisanne neuriede wat voor zich uit, vast een of ander liedje dat ze vandaag geleerd had, hij herkende het niet.
Hanneke had inmiddels de tafel gedekt. Ze vroeg aan Lisanne wat ze allemaal gedaan had op school, en het gesprek kabbelde rustig voort terwijl ze aten. Lisanne mocht na het eten nog even spelen en daarna bracht Tim haar weer naar school.
Toen hij terugkwam, zat Hanneke aan de keukentafel. Tim wilde zeggen dat hij een poosje op bed ging liggen, maar Hanneke vroeg: 'Wil je even komen zitten?'
Hij voldeed aan haar verzoek en ging tegenover haar zitten.
'Sorry dat ik je daarnet te dicht op je huid zat, dat was niet m'n bedoeling,' zei ze.
'Geeft niet, dat kon jij niet weten,' zei Tim kort.
Hanneke ging verder. 'Wat maakte dat je het gevoel kreeg dat ik te dichtbij kwam? Want dan kan ik daar voortaan rekening mee houden.'
Tim verbaasde zich weer eens over haar zorgvuldigheid. Als zijn moeder en hij boos op elkaar waren, lag het altijd aan hem. Hij had zijn moeder nog nooit 'sorry' horen zeggen. Nee, dat was niet waar, laatst had ze dat tegen hem gezegd, na haar botte opmerking op haar verjaardag. Maar dat was voor 't eerst. En ze had beslist nooit gevraagd hoe ze rekening met hem kon houden.
Hij dacht terug aan het gesprek van die morgen. 'Ik denk omdat ik schrok van mezelf. Omdat ik misschien meer op m'n moeder lijk dan ik wil.'
Hanneke knikte. 'Dat dacht ik wel. Vind je het goed dat ik daar wat

dieper op inga?' En toen Tim knikte, ging ze verder: 'Ik heb daarover nagedacht. Weet je nog dat ik sinds Lobkes ziekte als leidmotief 'strepen op de weg' had? Ik heb je dat vast weleens verteld.'
Tim knikte. 'Ja, dat herinner ik me nog. We moesten toen nog lachen om die reclame over strepen op de weg die de afgrond in liepen.'
'Precies,' lachte Hanneke. 'Wel, dat thema komt in mijn leven op allerlei manieren terug, ook nu weer. Ik moest ineens denken aan een rotonde.'
'Een rotonde?' Tim snapte niet waar Hanneke naartoe wilde.
'Ja, een rotonde. Bij elke rotonde kun je kiezen uit een aantal afslagen, soms maar twee, maar soms wel vijf of zes. Je weet dat ik bij mijn zus Els in de bruidswinkel werk. Om daar te komen, fiets ik altijd over een rotonde. Toen drie jaar geleden de bruidswinkel verhuisde naar het centrum, moest ik een andere weg nemen om er te komen, maar soms was ik zo in gedachten verzonken dat ik vergat een andere afslag te nemen. En daar kwam ik pas achter als ik voor de oude winkel stond. Mensen zijn soms zo opgesloten in hun oude routine, dat ze vergeten dat ze ook een andere afslag kunnen nemen. Ze herhalen het hun aangeleerde gedrag, omdat ze denken dat het zo hoort, of omdat ze geen andere weg kennen. Een andere weg kan onveilig lijken, je weet nooit waar die naartoe leidt. Maar soms moet je de moed op durven brengen om een nieuwe weg in te slaan. Omdat een oude weg je niet meer brengt waar je zijn wilt.'
Tim zat belangstellend te luisteren. Waar wilde Hanneke naartoe?
Hanneke ging verder: 'Ik verbaas me er regelmatig over dat mensen die als kind misbruikt zijn, soms zelf later ook kinderen misbruiken. Of dat kinderen van ouders die aan de drank verslaafd zijn, soms zelf ook alcoholist worden. Ik snap dat niet. Als je weet hoe verschrikkelijk het is om misbruikt te worden, doe je dat toch zelf een ander kind niet aan? Of als je bang bent geweest van een vader die altijd dronken thuiskwam en dan zijn vrouw sloeg, dan word je toch zelf ook niet zo'n soort vader? Maar blijkbaar werkt het niet zo. Misschien is dat het wel wat God bedoelt met 'tot in het derde en vierde geslacht van hen die Mij haten'.

Misschien dat die mensen ook niet anders durven dan steeds weer dezelfde afslag te nemen. Omdat die vertrouwd is. Je weet nu wat je hebt, maar niet wat je krijgt. En de hoek waarin de klappen vallen, is misschien wel veiliger dan een andere hoek, wie weet wat je daar overkomt.
Maar ook het leven is een rotonde. Je kunt er in cirkels rond blijven rijden, schijnbaar steeds in beweging blijven en toch geen steek verder komen. Je kunt steeds dezelfde afslag nemen, omdat je die van huis uit meegekregen hebt, met het risico dat je steeds op dezelfde doodlopende weg terechtkomt. Maar je kunt het ook wagen een nieuwe afslag te nemen.
Wil je als mens groeien, dan kan dat misschien alleen maar als je nieuwsgierig genoeg bent om te willen ontdekken waar een andere weg naartoe leidt.'
Ze stopte even om adem te halen na haar vurige betoog.
Tim lachte grimmig. 'Ik begrijp denk ik wel wat je bedoelt, maar is het niet juist de taak van de ouders om daarin het goede voorbeeld te geven?'
'Tuurlijk,' zei Hanneke. 'Maar ouders zijn ook net gewone mensen. En soms zijn die ouders kinderen in een volwassen jas. Hun buitenkant is wel gegroeid, maar hun binnenkant is stil blijven staan bij het kind dat wacht op bevestiging, op liefde.'
Ze wachtte even. 'Misschien is jouw moeder ook wel zo'n volwassene, en zit er in haar een kind dat hunkert naar liefde.'
Tim voelde wrevel opkomen. 'En van wie verwacht ze dat dan? Van haar kinderen? Dat is toch de omgekeerde wereld!' Nu werd-ie helemaal mooi, het leek wel alsof Hanneke partij koos voor zijn moeder!
Hanneke merkte dat Tim zich weer opwond. Glad ijs, dacht ze.
'Je hebt helemaal gelijk als je vindt dat ouders het goede voorbeeld dienen te geven. Maar je kunt je afvragen of ouders die zelf niet goed in hun vel zitten, dat voorbeeld wel kunnen zijn.'
'Zoals ik nu geen goed voorbeeld ben voor Lisanne en Stijn,' constateerde Tim bitter.
'Lieve Tim,' zei Hanneke smekend. 'Ik heb al spijt dat ik er weer over

begonnen ben, want ik heb het idee dat ik je alleen maar bozer maak, en dat je alles wat ik zeg, negatief betrekt op jezelf. Wil je dat ik erover ophoud?'

'Ja. Eigenlijk wel. Ik waardeer je goede bedoelingen, maar het komt blijkbaar niet over.' Hij schoof zijn stoel naar achteren en stond op. 'Ik ga nu toch nog maar even liggen.'

Hanneke bleef met een katerig gevoel achter.

16

TOEN AAFKE AAN HET EIND VAN DE MIDDAG THUISKWAM, WAS TIM nog steeds boven. Hanneke legde kort uit hoe hun gesprek die middag verlopen was. 'Ik denk dat hij nog steeds op bed ligt. Ik vind het vervelend dat ik hem niet meer gezien heb. Zal ik nog even naar boven gaan?'
Aafke schudde haar hoofd. 'Nee, laat maar. Ik ken Tim. Als hij zo is, wil hij gewoon niemand zien. Dat trekt wel weer bij. Hij heeft een hoop aan zijn hoofd. Ik begreep dat hij van de psycholoog een brief aan zijn moeder moest schrijven, maar dat dat niet erg lukte. Dat zal hem wel dwarszitten.'
'O, dat maakt veel duidelijk,' zei Hanneke zuchtend. 'En dan zit zijn schoonmoeder ook nog eens aan zijn hoofd te zeuren dat zijn moeder misschien wel een kind in zich herbergt dat hunkert naar liefde. Als ik dat geweten had, was ik nooit over die moeder begonnen.'
'Nou ja, mam, dat kon jij toch niet weten? Trek het je maar niet aan, volgende week doet hij vast weer gewoon. Zullen we nog een bakje thee doen, of wil je zo weg?'
'Ik wil eigenlijk naar huis,' zei Hanneke. 'Je vader zou wel koken vandaag, maar voor ik thuis ben is het toch al halfzeven. Ik heb voor jullie een pan goulash gemaakt, en de rijst staat al klaar, die hoeft alleen nog maar gekookt.'
'Fijn, mam, lekker!'
Hanneke liep de kamer in en knuffelde Lisanne en Stijn. 'Dag kindjes. Tot volgende week.' Daarna pakte ze haar jas en gaf Aafke een zoen. 'Dag kind. Groet je Tim van me?'
'Dag mam, groetjes aan pap, en bedankt voor het oppassen, hè.'

Terwijl Aafke met het eten bezig was, kwam Tim naar beneden. 'Waar is ma?' vroeg hij, om zich heen kijkend.
'Die is al naar huis.'
'Waarom heeft ze me niet even gedag gezegd?' vroeg hij oprecht verbaasd.

Aafke was blij dat hij niet boos was en zei: 'Ze dacht dat je haar even niet wilde zien na jullie gesprek vanmiddag. En ik dacht het ook, dus heb ik gezegd dat ze je maar met rust moest laten.'
'Jammer. Ik wilde haar juist nog bedanken,' zei Tim teleurgesteld.
'Bedanken?' vroeg Aafke stomverbaasd. Dit had ze helemaal niet verwacht.
'Ja, bedanken. Dankzij dat gesprek met haar wist ik nu ineens dingen die ik in die brief aan mijn moeder kon zetten.' Hij lachte even. 'Ik heb maar een poosje op bed gelegen en heb daarna de hele middag zitten schrijven. Het viel niet mee, maar ik heb nu wat op papier, en eerlijk gezegd lucht het me wel op. Ik denk dat het helpt dat ik weet dat die brief niet daadwerkelijk verstuurd zal worden, maar dat-ie alleen bestemd is voor Lars. Al schrijvend kwam er steeds meer boven. Ik was er zelf verbaasd over.'
'Nou, fijn!' Aafke was er stil van.
Tim had van het schrijven blijkbaar een energiestoot gekregen, want hij liep naar de kamer en begon met Lisanne te stoeien. Die wist niet wat haar overkwam, want papa was de laatste tijd helemaal niet zo stoeierig geweest. Ze genoot met volle teugen en gilde van de pret. Aafke stond er lachend naar te kijken. Ik weet niet wat je gedaan hebt, mam, maar bedankt, zei ze in stilte.
Ook tijdens het avondeten was Tim voor zijn doen erg spraakzaam. Hij vroeg naar Aafkes dag, was belangstellend naar Lisannes nieuwe versje, at smakelijk van het eten en haalde uit zichzelf het toetje. Daarna bracht hij Lisanne naar bed, terwijl Aafke Stijn in bed legde.
Toen ze naast elkaar op de bank zaten, zei hij: 'Ik voel me een stuk beter dan anders. Als het zo doorgaat, kan ik binnenkort weer aan het werk, let maar op.' Hij nam zelfs geen slaaptablet in toen ze naar bed gingen: 'Die wil ik niet meer nodig hebben.'
Hij sliep die nacht 'op afbetaling', zoals hij 's morgens zei. Hij was met tussenpozen wakker, maar sliep dan toch weer in. Ook de woensdag verliep positief. Hij schreef nog wat verder aan de brief, ging een eindje fietsen, kluste wat in de tuin. En 's avonds was hij zo bekaf dat hij dacht wel weer zonder slaaptablet te kunnen slapen. 'Dit is

een gezonde moeheid.'
Maar midden in de nacht werd hij wakker van een flinke aanval van hyperventilatie. De angst sloeg in golven over hem heen, en hij kreunde: 'Waarom nou? Het ging zo goed!'
Die vraag stelde hij de volgende dag ook aan Lars. 'Waarom kreeg ik nou weer een aanval? Ik voelde me zo goed gisteren, ik dacht dat het nu weer bergopwaarts ging.'
'Dat zul je voorlopig nog wel even houden,' waarschuwde Lars. 'Het is een paar stappen vooruit, dan weer een paar stappen achteruit. Maar dat geeft niet, het is in elk geval een teken dat er beweging in zit.'
Tim moest denken aan het 'versteende' van zijn moeder. Bij hem zat er in elk geval beweging in...
Lars begon deze sessie met wat ontspanningsoefeningen, die Tim ook zelf thuis kon doen. Daarna vroeg hij: 'Is het nog gelukt met de brief?'
Tim knikte. 'In het begin ging het helemaal niet, maar afgelopen dinsdag had ik een gesprek met mijn schoonmoeder waar ik eerst nogal boos over werd, maar daarna bleek dat juist de aanzet tot de brief te zijn. Hij is nog niet af, maar ik heb 'm wel bij me.' Hij legde de brief op tafel en verwachtte dat Lars hem zou gaan lezen of dat hij er zelf wat stukjes uit moest voorlezen.
Tegen zijn verwachting in bleef de brief ongeopend op tafel liggen en vroeg Lars hem alleen wat er door hem heen gegaan was bij het schrijven van de brief. Tim wist niet wat hij met die vraag aan moest. Even schoot er een gevoel van teleurstelling door hem heen. Hij viel stil en staarde afwezig naar de grond.
Lars merkte dat Tim er niet meer met zijn gedachten bij was en zweeg ook.
Na een poosje slaakte Tim een diepe zucht, keek Lars even aan en staarde toen weer naar de grond.
'Waar was je?' vroeg Lars.
Tim kreeg een verbeten trek rond zijn mond en zuchtte nog eens. Hij pakte de brief en stak hem weer in zijn zak.
'Wat doe je nu?'
'Ik neem hem weer mee, jij doet er toch niks mee.'

Lars keek Tim opmerkzaam aan. 'Wat had je verwacht dat ik ermee zou doen?'
Tim schokschouderde. 'Weet ik 't. Misschien dat ik er iets uit voor moest lezen of zo. Of dat je 'm zelf zou lezen.'
'En dan?'
'Dan wist ik tenminste of ik het goed gedaan had.'
Lars was even stil. 'Hoor je nu wat je zegt?' vroeg hij toen zacht.
Tim keek hem verstoord aan. 'Wat bedoel je?'
'Je zegt dat je van mij wilt horen of je het goed gedaan hebt.'
'Ja, en?'
'Ben je trots op die brief?' vroeg Lars toen.
Tim schokschouderde weer. 'Och, trots, dat is zo'n zwaar woord. Ik was gewoon benieuwd wat je van m'n brief vond, of ik wel de juiste dingen opgeschreven had.'
'Wat zijn de juiste dingen?'
Tim voelde irritatie opkomen. 'Hoe kan ik dat nou weten? Jij bent de psycholoog, ik niet!'
Lars stond op en haalde uit de la van zijn bureau een doos kleurpotloden en een schetsblok. Hij legde de kleurdoos op het tafeltje en gaf het schetsblok aan Tim.
'Kies eens een kleur uit en teken daarmee je moeder,' gaf hij als opdracht.
Tim keek hem verbaasd aan. Wat moest hij hier nu weer mee?
Toen Lars hem bemoedigend toeknikte, opende Tim de kleurdoos en ging de diverse kleuren langs. Welke kleur paste bij zijn moeder? Lichtblauw. De kleur van gletsjerijs.
Hij pakte een lichtblauw kleurpotlood en begon te tekenen. Een lange, dunne vrouwenfiguur in een jurk tot op de grond, een smal hoofd zonder gezicht, met magere, lange armen en aan de uiteinden daarvan geen handen maar messcherpe ijspegels.
Toen hij klaar was met tekenen, liet hij zijn schouders hangen en staarde naar de tekening.
'Kies nu een kleur om jezelf mee te tekenen,' kwam de stem van Lars van verre.

Tim zocht in de kleurdoos en pakte het grijze potlood. Hij wilde een nieuwe pagina van het schetsblok gebruiken, maar Lars zei: 'Nee, op hetzelfde vel.'
Tim aarzelde even en tekende toen een piepklein mannetje uiterst rechts van de vrouw.
'Het lijkt wel of je geen kleur wilt bekennen bij je moeder in de buurt,' merkte Lars op.
Tim staarde naar de tekening. Dit waren zijn moeder en hij. De ijskoningin en het kleine jongetje. Op grote afstand van elkaar.
'Wat voel je als je kijkt naar die tekening?' vroeg Lars zacht.
Er drupte een traan op de tekening, en nog een, en nog een. Tim gooide het schetsblok van zich af en zocht vergeefs naar een zakdoek. Hij veegde met zijn mouw langs zijn ogen. Lars boog zich naar voren en hield hem de doos met tissues voor. Tim pakte er een uit en snoot zijn neus, terwijl de tranen bleven stromen. Hij leunde voorover met zijn ellebogen op zijn knieën, zijn handen voor zijn gezicht, zijn schouders verkrampt.
Na een poosje ontspande hij zich. Hij zuchtte diep en kwam overeind zitten. 'Sorry.'
'Aan dat 'sorry' moeten we ook maar eens een keer werken,' lachte Lars. 'Hoe voel je je nu?'
'Toch wel opgelucht,' zei Tim. 'Wat gebeurde er nu?'
Lars gaf alleen als antwoord: 'Dat kun jij vast beter bedenken dan ik.' Hij pakte het schetsblok van de grond, scheurde de eerste tekening eraf en gaf het blok weer aan Tim. 'Noem eens iemand bij wie je je heel prettig voelt.'
'Aafke,' zei Tim direct. 'Mijn vrouw.'
'Teken haar eens.'
Tim pakte zonder aarzelen het oranje kleurpotlood en tekende een vrouwenfiguur met een lachend gezicht en een mand vol bloemen aan haar arm.
'En teken nu jezelf.'
Tim aarzelde even en pakte toen het groene kleurpotlood. Daarmee tekende hij een mannenfiguur hand in hand met de vrouw.

'Wat voel je als je naar die tekening kijkt?' vroeg Lars.
'Blij. Ik voel me blij.'
'Dat lijkt me een goed gevoel om mee af te sluiten,' besloot Lars.

Op weg naar huis kwamen de bibbers. Klappertandend zat Tim op de fiets. Het voelde echter niet als angst, en hij verzette zich er niet tegen. Het leek op een ontlading na hevige inspanning, zoals Aafke had gehad direct na haar eerste bevalling.
Lars had hem gevraagd om een verslag te schrijven van de sessie, en Tim kroop daarvoor thuis meteen achter de laptop. Tijdens het uittypen verkrampten zijn bovenlijf en bovenarmen en kwamen de bibbers weer. Hij voelde zich een opgerold egeltje, dat zich beschermde tegen – ja, tegen wat eigenlijk?
Hij dacht na over de tekening die hij gemaakt had van zijn moeder, en van hemzelf als dat kleine mannetje ver bij haar vandaan. Het maakte hem verdrietig. Was hijzelf, zoals Hanneke het noemde, ook 'een kind in een volwassen jas'? Zat in hem ook nog een klein jongetje dat behoefte had aan warmte, en dat zich daarom zo ver mogelijk van die ijskoningin vandaan hield?
De tranen kwamen weer als vanzelf. Het verbaasde hem. Hij huilde nooit zo makkelijk. Alleen bij de geboorte van zijn kinderen had hij tranen in zijn ogen gekregen, maar dat was van ontroering, niet van verdriet, zoals nu. Dit huilen was trouwens ook een ander soort huilen dan het geluidloze snikken dat hem de eerste keer bij Lars had overvallen, en waar geen traan aan te pas kwam.
Hij leunde achterover met verstrengelde vingers achter zijn hoofd en staarde in de verte. Wat zat een mens toch ingewikkeld in elkaar. Eigenlijk was het een wonder dat er nog zo veel goed ging in de wereld. Hij gaapte en keek op zijn horloge. Bijna etenstijd. Hij hoorde Aafkes stem van beneden roepen: 'Tim! Ik ben Lisanne uit school halen, ik neem Stijn wel mee.'
'Oké,' riep hij terug. Hij sloeg het bestand van het verslag op en sloot de laptop af. Daarna ging hij naar beneden om de tafel te dekken.
'Hoe was het vanmorgen?' vroeg Aafke toen ze zaten te eten. 'Je was

ineens weer verdwenen voor ik het kon vragen.'
'Ik moest een verslag schrijven van het gesprek, en nu zat het nog vers in m'n geheugen,' verontschuldigde Tim zich. 'Sorry.' Hij lachte ineens. 'Dat blijk ik nogal vaak te zeggen, volgens Lars. Daar gaan we ook nog aan werken.'
Hij pakte nog een boterham en ging verder: 'Het ging goed vanmorgen. Ik heb moeten tekenen.'
'Hé, ik heb ook getekend op school,' riep Lisanne. 'Ik heb een neushoorn getekend.'
'Dat is mooi,' zei Tim, 'en waar is die neushoorn nu?'
'Die is nog op school, die is nog niet klaar,' zei Lisanne met een gezicht van 'dat snap je toch zeker wel'. Ze zat wat te spelen met haar eten en schoof even later haar bordje weg. 'Ik hoef niet meer, ik heb buikpijn.'
Aafke legde met een bezorgd gezicht haar hand tegen Lisannes voorhoofd om te voelen of ze koorts had. 'Heb je alweer buikpijn? Gisteren ook al.' Ze keek naar Tim. 'Had ze dat dinsdag ook?'
Tim dacht even na. 'Geen idee, misschien dat ma dat nog weet?'
'Gisteren dacht ik dat het kwam omdat ze naar het feestje van Maaike was geweest en dat ze daar misschien te veel gesnoept had,' zei Aafke ongerust. 'Maar daar zou ze nu toch geen last meer van moeten hebben. Vanmorgen heeft ze ook al bijna niet gegeten.'
Ze keek weer naar Lisanne. 'Zal mama naar meester Koen bellen dat je vanmiddag thuisblijft?'
Lisanne schudde echter heftig haar hoofd. 'Nee, ik moet m'n tekening nog afmaken, en meester Koen gaat vanmiddag voorlezen van Jip en Janneke.'
'Heeft ze koorts?' vroeg Tim.
Aafke voelde nog eens aan Lisannes voorhoofd en voelde haar pols. 'Ik denk het niet, ze is niet echt warm.'
'Nou, laat haar dan maar naar school gaan,' zei Tim. 'Misschien dat ze nog wat last heeft van de goulash van dinsdag. Die was wel erg lekker, maar er zaten behoorlijk veel uien in.'
Aafke bracht Lisanne naar school, maar om halfdrie werd ze gebeld door meester Koen.

'Wil je Lisanne komen halen? Ze klaagt de hele middag al over buikpijn en het lijkt steeds erger te worden.'
Aafke schrok. 'Ik kom er meteen aan,' zei ze. Ze rende naar boven, naar Tim, die weer achter de laptop zat te typen, en zei met gejaagde stem: 'Koen belde dat Lisanne steeds meer buikpijn krijgt, ik ga haar nu halen. Pas jij op Stijn? Hij zit in de box.'
Tim schrok ook. Hij liep direct naar beneden en wachtte gespannen tot Aafke terugkwam. Lisanne zag erg wit en had braaksel op haar jas.
'Ze heeft overgegeven in de auto. Wil jij haar verschonen, dan maak ik de auto schoon,' zei Aafke.
Tim keek naar Stijn, die in de box zat te spelen. Die kon hij wel een poosje alleen laten. Hij nam Lisanne op zijn arm en liep met haar naar de badkamer, waar hij haar bevuilde kleren uittrok en haar afspoelde onder een warme douche. Daarna trok hij haar haar pyjama aan.
'Wil je naar bed of naar beneden?' vroeg hij.
'Naar beneden,' zei Lisanne met een klaaglijk stemmetje. Haar anders zo helderblauwe ogen stonden dof.
Tim nam haar mee naar beneden en installeerde haar op de bank. Hij haalde haar dekbed van boven en legde dat over haar heen.
'Baby nog,' zei Lisanne met een krakend stemmetje en ze strekte haar arm in een smekend gebaar boven het dekbed. Ondanks zijn bezorgdheid moest Tim lachen. Ze had in elk geval gevoel voor dramatiek.
Toen Aafke klaar was met het schoonmaken van het autostoeltje en de achterbank van de auto, belde ze naar de huisarts. Die kwam aan het eind van de middag langs.
Hij bevoelde Lisannes buik, maar daar moest ze niets van hebben. 'Au!' Ze probeerde weg te draaien onder zijn handen.
De arts schrok. 'Ik vermoed dat het haar blindedarm is.' Hij pakte zijn telefoon en belde naar het ziekenhuis. Voor tot hen doorgedrongen was wat er aan de hand was, kwam alles in een stroomversnelling terecht, lag Lisanne op de operatietafel en stond hun hele wereld op z'n kop.

17

IN DE WACHTKAMER VAN HET ZIEKENHUIS IJSBEERDE TIM HEEN EN weer, terwijl Aafke in de telefooncel haar ouders op de hoogte bracht van het feit dat Lisanne nu op de operatietafel lag. Daarna belde ze naar de buren, waar ze Stijn hadden kunnen onderbrengen. 'Geen idee wanneer we weer thuis zijn, ze wordt nu geopereerd.'
Ze aarzelde. Zou ze haar schoonmoeder ook inlichten? Toch maar niet, die belde ze vanavond wel. Ze had nu voornamelijk behoefte gehad aan de rustige stem van moeder Hanneke. Gelukkig was die al thuis toen ze belde.
Ze liep terug naar de wachtkamer, waar Tim nog steeds liep te ijsberen.
'De groeten van ma, en sterkte. Heb je al wat gehoord?'
'Nee, nog niks.' Hij bleef ijsberen.
'Zal ik een kop koffie halen?' vroeg Aafke. Ze werd zenuwachtig van zijn geijsbeer.
Tim schudde zijn hoofd. 'Nee, geen koffie nu, daar word ik alleen nog maar meer hyper van.'
'Iets anders dan? Thee, sap?'
'Nee, ik hoef niks. Hè, waar blijven ze nou? Ze zullen nu toch zo langzamerhand wel klaar zijn?' Hij liep de kamer uit en schoot een verpleegkundige aan die net langskwam. 'Weet u of de operatie van Lisanne Peters al klaar is?'
'Nee, ze zijn nog met haar bezig. Zodra we iets weten, hoort u dat van ons.'
Tim liep weer naar de wachtkamer en liet zich naast Aafke op een stoel vallen. Maar het stilzitten hield hij niet lang uit, en even later liep hij weer te ijsberen. Zijn lijf voelde weer alsof er een tractor overheen gereden had, en zodra hij ging zitten, werd dat alleen maar erger. Zijn gedachten gingen alle kanten op. De tekening die hij bij Lars had moeten maken, het gesprek met Hanneke, Jasper en z'n vader, Lisanne met haar armpjes om zijn nek, allerlei beelden gleden aan hem voorbij. Het beeld van Lisanne bleef het langst hangen.

Hij voelde een weemoedige kramp rond zijn hart en kreunde. Kon hij Lisannes plaats maar innemen, zodat zij geen pijn hoefde te lijden! Zijn spieren spanden zich onwillekeurig en hij wankelde op zijn benen. Snel ging hij naast Aafke zitten. Hij boog zich voorover, slaakte een diepe zucht en legde zijn gezicht in zijn handen.
Aafke stak haar arm door de zijne en leunde tegen hem aan. De warmte van haar lijf drong door Tim heen. Nu kwam het beeld van zijn tweede tekening naar boven. Aafke, zijn vrouw...
Hij leunde achterover en legde zijn hoofd op het hare. Hun vingers verstrengelden zich. De kramp in zijn lijf zakte langzaam weg en maakte plaats voor een lome moeheid. Vreemd, maar hij zou nu zo kunnen slapen...
Naderende voetstappen deden hen opschrikken. Een stem. 'Meneer en mevrouw Peters?' Ze schoten allebei overeind.
Een arts kwam binnen. 'We hebben Lisanne geopereerd, het was inderdaad haar blindedarm. De operatie is goed verlopen, ze ligt nu in de verkoeverkamer, en zodra ze goed wakker is, mag ze naar de afdeling.'
Aafke slaakte een zucht van verlichting. Ze kneep in Tims hand en vroeg: 'Mogen we bij haar?'
De arts knikte. 'Ja hoor, volgt u mij maar.' Ze liepen achter de arts aan naar de kamer waar Lisanne bij lag te komen van de narcose. Ze lag aan een infuus en kreunde zacht. Tim en Aafke gingen naast elkaar aan het bed staan en Aafke legde voorzichtig haar hand op Lisannes hoofdje, terwijl haar andere hand die van Tim zocht.
'Hé, meisje, word eens wakker, papa en mama zijn er,' fluisterde Aafke.
Het kreunen werd harder en Lisanne begon wat te woelen. Aafke streelde haar over haar haren en zei nu iets harder: 'Lisanne, wakker worden.'
Het horen van Aafkes stem deed het meisje rustiger worden. 'Mama...' Ze zakte weer weg.
Bij Tim liepen de tranen over zijn wangen. Hij liet ze maar komen, had het amper in de gaten. Hij kneep in Aafkes hand en staarde naar zijn dochtertje. Arm, klein meisje. Hij zuchtte maar weer eens en beet op

zijn lip. Wat stond je in zo'n geval toch machteloos als ouders.
Als hem zoiets als kind overkomen was, had alleen zijn moeder aan zijn bed gestaan, ging het door hem heen. Zou ze dan ook net als Aafke zo lief haar hand op zijn hoofd gelegd hebben? Hij kon het zich niet voorstellen.
Hij sloot zijn ogen en probeerde de kilheid die altijd in zijn hart sloop als hij aan zijn moeder dacht, weg te duwen. Niet aan denken, daar schiet je niets mee op. Concentreer je nu maar op Lisanne. Zij heeft je nodig. Hij slikte.
Lisanne begon weer te woelen. 'Lisanne,' zei Tim met schorre stem. Hij schraapte zijn keel. 'Lisanne, word eens wakker, meisje.'
Lisannes oogjes gingen voorzichtig open en knipperden tegen het licht. Ze leek nu wat wakkerder. 'Baby,' zei ze met een zacht stemmetje.
'Baby is nog thuis, maar mama zal haar gauw gaan halen, goed?' Aafke kon zich wel voor haar kop slaan dat ze er niet aan gedacht had om de pop mee te nemen.
Even later kwam een verpleegkundige binnen. 'Is de jongedame al wakker? Dan gaan we haar naar de afdeling brengen. Gaat u mee?'
Op de afdeling hoorden ze dat de mogelijkheid bestond om de eerste nacht bij Lisanne op de kamer te blijven. Ze overlegden wat het meest praktisch was.
'Als jij nu hier blijft, dan ga ik naar huis, want ik zit met de borstvoeding,' zei Aafke. Ze voedde Stijn nog twee keer per dag zelf. 'Dan kom ik straks eerst de pop brengen en een paar pyjamaatjes voor Lisanne, en wat spullen voor jou, en daarna ga ik Stijn ophalen en blijf ik thuis bij hem. Morgenochtend bel ik je. Als dan alles goed gaat met Lisanne ga ik maar gewoon werken, Stijn gaat toch naar het kinderdagverblijf. En daarna is het weekend en zien we wel verder. Goed?'
'Goed,' knikte Tim. Dit was de meest praktische oplossing. 'Wil je dan wel de laptop meebrengen? Dan heb ik wat te doen. Lisanne zal nog wel veel slapen. Misschien kan ik verder met mijn verslag, al weet ik niet of m'n hoofd ernaar staat.'
'Doe ik,' zei Aafke. Ze kuste Lisanne en Tim gedag en haastte zich naar huis. Eerst Baby halen!

Tim lag te luisteren naar de geluiden van het ziekenhuis. Het geruis van de airconditioning, het zachte piepje van Lisannes infuus, de gedempte geluiden van de zusterspost. Buiten klonk de sirene van een ambulance. Tja, dat stopte niet als het nacht werd, de wereld draaide gewoon door.
Hij hoorde Lisanne even kreunen en spitste zijn oren. Nee, het was niets, ze zakte weer weg. Misschien droomde ze wel. Toen Aafke Baby in haar armen had gelegd, had ze een zucht van verlichting geslaakt en was ze in een rustige slaap gevallen. Om halfzeven was Tim in het ziekenhuisrestaurant gaan eten, en toen hij terugkwam werd Lisanne net wakker. Ze had verbaasd om zich heen gekeken. Waar was ze nu?
Tim had het haar uitgelegd en had toen gevraagd of ze pijn had. Nee, dat niet. Wel had ze wat angstig naar het infuus gekeken, maar toen Tim uitlegde dat haar buikje ziek was en even moest rusten en dat ze door het infuus toch drinken binnenkreeg, was ze gerustgesteld.
Ze vond het geweldig dat papa bij haar op de kamer mocht blijven slapen, en had 's avonds alweer praatjes voor tien. Tim had zich erover verbaasd. Wat was een kind toch flexibel!
Hijzelf was nog maar drie geweest toen zijn vader ervandoor ging. Had hij zich ook zo flexibel neergelegd bij de situatie? Hij kon zich er niets meer van herinneren. Het enige beeld dat uit die tijd dateerde, was dat jongetje onder de tafel. En daarna was die afwezige vader gewoon een gegeven, iemand die niet of nauwelijks ter sprake kwam. Alleen als hij nieuwe mensen ontmoette die naar zijn vader vroegen, legde hij op zo'n zakelijke toon uit dat die geen rol meer speelde in zijn leven, dat mensen meestal niet meer doorvroegen.
Had hij een vader gemist? Kun je iemand missen die je niet kent, aan wie je geen herinneringen hebt?
Buurman Marijn miste hij wel. Niet dagelijks, maar op momenten als deze miste hij zijn lach, zijn warme aandacht, zijn schouderklopjes, zijn vertrouwen dat alles wel goed kwam, zijn vriendelijke ogen. Zijn stimulans om wat van zijn leven te maken.
Hij gooide zich op zijn andere zij. Hij miste het geluid van Aafkes rustige, soms zacht snurkende ademhaling. 'Ik snurk niet!' zei ze altijd

verontwaardigd als hij haar daar weleens mee plaagde. Aafke... Zij was tot nu toe het beste dat hem was overkomen. Naast Lisanne.
En naast Stijn?
Tim dacht aan zijn zoon. Het was een prachtig jongetje, met stevige bolle wangen om in te bijten en een guitig lachje waarbij hij kuiltjes in zijn wangen kreeg. Een makkelijk, flexibel kind.
Maar bij Stijn had hij niet dat verrukte gevoel dat hij had gehad bij Lisanne. Bij Stijn leek hij op de een of andere manier te blokkeren als het om zijn gevoelens ging. En dat lag niet aan Stijn.
Dat lag aan hemzelf.
Vader van een zoon zijn legde bij hem onwillekeurig de link naar het zoon van een vader zijn.
En hij wist niet wat dat was.
Lisanne lag verankerd in zijn hart, maar het leek alsof hij zich aan Stijn niet durfde te hechten. Alsof hij met hem geen band durfde aan te gaan.
Waarom eigenlijk niet?
Waarom houd je van je kind?
Omdat het jouw eigen kind is? Flauwekul. Adoptieouders houden ook van hun kind. Dat zag hij onlangs op een geboortekaartje staan: 'Niet uit ons geboren, maar geboren in onze dromen, wonend in ons hart.' Dat had hem toen erg geraakt.
Hij dacht aan de opmerking van Hanneke over het houden van je kind: 'Je hart groeit mee, ieder kind krijgt daar een eigen plaats in.'
Maar je hart kon niet meegroeien als er geen herinneringen waren.
De herinneringen aan buurman Marijn waren levendig. Buurman Marijn was 'in zijn hart gegroeid'. Net als zijn schoonmoeder: ook voor haar had hij een warm plekje in zijn hart gekregen. Eigenlijk waren buurman Marijn en schoonmoeder Hanneke zijn 'adoptieouders', die hem geleerd hadden wat 'houden van' was.
Aan zijn moeder had hij ook herinneringen, maar was zijn moeder ook 'in zijn hart gegroeid'?
Als hij eerlijk tegen zichzelf was: nee.
Hij schaamde zich meteen voor die gedachte. Ze had toch altijd goed

voor hem gezorgd? Ondanks dat ze dat alleen had moeten doen?
Hij dacht aan de tekening van de ijskoningin, maar schudde die gedachte met een woest gebaar van zich af. Dat had geen zin!
Hij draaide zich weer om. Hoe zou het met Aafke zijn? Zou zij wel kunnen slapen, alleen in hun grote bed? Zijn Aafke...
Hij zou zich een leven zonder haar niet voor kunnen stellen. Hij dacht terug aan hun eerste kus, op de dag waarop het 'aan' kwam. Na de tijd in York hadden ze een afspraak gemaakt om naar een concert van Bløf te gaan. Hij had daar al kaartjes voor, zou eerst met een vriend gaan maar die had afgezegd. Aafke wilde graag mee, ze hadden samen genoten van de muziek en de hele sfeer in de zaal. Na afloop waren ze nog wat gaan drinken en toen had hij haar naar huis gebracht. Ze hadden in de auto nog wat na zitten praten, en ineens lag zijn arm om haar schouders en had hij haar naar zich toe getrokken. Ze beantwoordde zijn kus met zoveel liefde en met zo'n vanzelfsprekendheid dat zijn hart een sprongetje had gemaakt. Hij wist het toen zeker: dit was de vrouw met wie hij de rest van zijn leven wilde delen!
Misschien hadden zijn ouders dat ook wel gedacht toen ze met elkaar trouwden. Anders waren ze toch zeker nooit aan kinderen begonnen? Maar voor hen had 'de rest van hun leven' niet zo lang geduurd...
Hoe hadden zijn ouders elkaar eigenlijk leren kennen? Waarom waren ze ooit met elkaar getrouwd? Dat verhaal was met de foto's van zijn vader verdwenen. Alsof het nooit bestaan had. Maar zijn ouders moesten ook ooit eens verliefd geweest zijn, elkaar de eerste kus gegeven hebben, van plan zijn geweest om altijd bij elkaar te blijven, plannen gemaakt hebben voor een toekomst samen. Raar idee.
Zou er tussen Aafke en hem ook een verwijdering kunnen ontstaan, waardoor ze uit elkaar zouden gaan? Zoals zijn moeder destijds gesuggereerd had: 'Je bent precies je vader'? Hij kon het zich niet voorstellen. En hij kon zich al helemaal niet voorstellen dat hij in dat geval Lisanne en Stijn achter zou laten en hen nooit meer zou willen zien.
Maar zijn vader was wel weggegaan. En hij had nooit meer naar zijn kinderen omgekeken.
'Je vader is ernstig ziek', had Aafke gezegd. Wat verwachtte ze nu? Dat

hij zijn vader met open armen verwelkomde? Ha die pa, tijd niet gezien?
Hij moet ineens denken aan het beeld van de verloren zoon dat hij een keer gezien had in de bijbelse tuin in Hoofddorp. Toen Lobke achttien werd, waren daar zulke mooie foto's gemaakt dat hij en Aafke de tuin zelf ook graag eens wilden zien en daar een keer naartoe waren geweest. Het ene beeld sprak hem meer aan dan het andere, maar hij was met name geraakt door de beelden die een bepaalde spanning tussen vader en zoon weergaven.
Allereerst was daar het beeld van Abraham en Isaak, dat zoveel hartenpijn uitstraalde dat hem ter plekke de tranen in de ogen sprongen. Abraham, die net zijn zoon gebonden had om hem aan God te offeren, zat geknield naast Isaak en drukte hem voor een laatste keer aan het hart, alsof hij hem maar moeilijk los kon laten. Het gezicht van Isaak was moeilijk te doorgronden. Op Tim kwam het over alsof Isaak op wilde gaan in die omhelzing, alsof hij wilde zeggen: 'Vader, neem me mee, laat me hier niet achter!' Tim had nog nooit een beeld gezien waarin liefde en leed zo nauw verbonden waren.
Het beeld van de verloren zoon raakte hem op een andere manier. Hij had uit het verhaal altijd begrepen dat de vader de verloren zoon met open armen stond op te wachten. Zoiets als de vader van Jasper destijds. Dat bijbelse verhaal was voor hem het voorbeeld van onvoorwaardelijke ouderliefde. Maar het beeld in de beeldentuin liet iets anders zien. Daar omhelsde de zoon de vader, alsof hij diens bescherming zocht. Maar de vader sloeg zijn armen niet – of nog niet – om de zoon heen. Hij leek te aarzelen. Was dat omdat hij toch wat afstand wilde houden? Laat eerst maar eens zien dat je het meent? Of was het omdat hij het niet durfde geloven dat zijn kind werkelijk terug was, omdat hij de pijn van een tweede scheiding niet zou kunnen verdragen? Of misschien was het omdat hij de zoon al losgelaten had toen die vertrok, omdat ouders nu eenmaal hun kind eens los moeten laten?
Tim herinnerde zich dat hij bij dat beeld de neiging had om de armen van de vader vast te pakken en die om de schouders van zijn zoon te slaan. 'Pak hem nou vast, hij hunkert zo naar je liefde!'

Hunkeren. Daar was dat woord weer. Een woord dat hij voelde in heel zijn lijf. Zou dat woord van 'honger' komen?
Tirza en Aafke hadden ontdekt waar zijn vader was. Als hij zijn vader ooit zou ontmoeten, zou hij dan ook net als de verloren zoon zijn vader omarmen?
Maar ho even, dat was een heel ander verhaal. In het bijbelverhaal was het de zoon die ervandoor gegaan was. In Tims geval was het de vader die zijn zoon in de steek gelaten had.
Kon hij net als de vader van de verloren zoon zijn vader met open armen op staan wachten? De 'verloren vader'? Kom nou toch! Die man had nóg een zoon, had hij begrepen, laat hem daar maar naartoe gaan. Wie weet had hij daar wel een goede band mee.
Hij dacht aan zijn eigen zoon. Stijn. Hoe zou Stijn later naar hem kijken? Wat voor relatie zou hij met Stijn krijgen? Kon hij wel een goede vader voor Stijn zijn?
Lars had hem gevraagd wat voor soort vader hij was. Hij had zich toen gerealiseerd dat hij Stijn niet zo vaak knuffelde. Waarom deed hij dat eigenlijk niet? Waarom durfde hij zich niet te hechten aan Stijn? Omdat hij bang was voor de pijn als hij hem ooit los moest laten? Maar waarom had hij dat dan niet bij Lisanne? Die zou hij toch ook een keer los moeten laten? Was het omdat Lisanne een meisje was?
De vragen buitelden over elkaar heen. Hij kwam er niet uit. Toch maar eens aan Lars vragen.
De deur ging open en een verpleegkundige liep zachtjes naar binnen. Ze verwisselde een infuuszak en wilde weer weggaan.
'Hoe laat is het?' fluisterde Tim.
'Halfzes,' fluisterde ze terug. 'Heb je nog wat geslapen?'
Tim gaapte. 'Niet zo. Ik denk dat ik er maar uit ga. Kan ik hier ergens douchen?'
Een nieuwe dag. Wat zou die brengen?

18

DINSDAG MOCHT LISANNE WEER NAAR HUIS. HAAR HERSTEL WAS VOORspoedig verlopen en er hadden zich geen complicaties voorgedaan. Aafke had een vrije dag genomen en ging haar samen met Tim om elf uur ophalen. Hanneke paste op Stijn.

Toen ze thuiskwamen, keek Lisanne verrukt naar de slingers en ballonnen waarmee het huis vanbinnen en vanbuiten versierd was. 'Ben ik weer jarig?' vroeg ze verbaasd.

'Nee, maar we zijn zo blij dat je weer thuis bent, dat is ook een feestje waard,' lachte Aafke.

's Middags kwam Lobke op visite. Ze had een grote knuffelbeer bij zich voor Lisanne, die daar erg blij mee was.

'Hoe is het?' vroeg Aafke. 'Je ziet er geweldig uit.'

'Ik voel me ook geweldig,' zei Lobke stralend. 'Ik ben niet meer misselijk en ik barst van de energie. De gynaecoloog is ook erg tevreden.'

'Wil je nog wat positiekleding van me lenen?' vroeg Aafke. 'Of wil je alles nieuw?'

'Nou, als je wat voor me hebt,' zei Lobke. 'Alles is welkom. Ik begin al te voelen dat m'n rokken en broeken strak gaan zitten.'

'Dan zullen we straks even boven kijken. Ik heb nu alvast een cadeautje voor je,' zei Aafke en ze overhandigde Lobke een pakketje.

Lobke maakte het nieuwsgierig open. 'O, lekker, een verwenpakket. Badolie, bruisballen, bodylotion, echt heerlijk. Dank je wel, zus.'

'Er zit nog iets in.' Aafke wees op een plat pakje onder in de doos.

Lobke scheurde het papier eraf. 'Hé, een zwangerschapsband. Wat een leuke!' Ze hield een zwarte band omhoog, waarop twee piepkleine voetjes stonden, en hield hem voor haar buik. 'Hij is nu nog wat te groot, maar ik zal hem met plezier dragen.' Ze omhelsde Aafke. 'Tof, joh. Roels vader kwam vorige week en die had twee rompertjes meegebracht, eentje met 'I love mom' erop en eentje met 'I love dad'. Had hij zelf gekocht, lief hè? Hij is er ook zo blij mee dat hij opa wordt.'

Hanneke bekeek lachend het tafereel. Wat een rijkdom toch, schoot het door haar heen. Haar hart vulde zich met dankbaarheid. Lisanne

weer thuis uit het ziekenhuis, Lobke zo stralend zwanger, en met Tim leek het ook wat beter te gaan.
Toen ze vanmorgen aankwam, stond Tim haar al op te wachten. 'Jammer dat je vorige week al weg was toen ik beneden kwam, ik wilde je nog bedanken,' had hij gezegd.
'Bedanken?' had ze verbaasd gevraagd. 'Ik dacht juist dat je boos op me was.'
Tim had uitgelegd dat ze door haar opmerkingen het nodige bij hem losgemaakt had, waardoor hij de brief aan zijn moeder nu wel had kunnen schrijven. 'En er moet wel heel wat gebeuren voor ik boos word op jou,' had hij lachend gezegd, en hij had haar even geknuffeld. Tim was anders nooit zo knuffelig, dus het ging vast wat beter met hem.
Lisanne trok haar aan haar hand. 'Oma, waar is opa?'
'Opa moet werken, maar hij komt gauw een keertje naar je kijken. O ja, ik moest je een kusje van hem geven.' Ze drukte Lisanne een kus op de wang.
'Dan moet je opa ook een kus van mij geven,' lachte Lisanne, en ze gaf Hanneke een dikke kus terug.
's Avonds, toen Hanneke en Lobke naar huis waren, belde Tirza om te vragen hoe het met Lisanne ging. Ze kreeg Tim aan de telefoon en hij vertelde haar dat alles gelukkig weer goed was. 'Het litteken heelt mooi, ze lijkt er geen nare gevolgen aan over te houden.'
Daarna vroeg Tirza of ze Aafke even aan de telefoon mocht. Dat zal wel over die man gaan, dacht Tim, en hij overhandigde de telefoon aan Aafke. Daarna verliet hij de kamer, hij hoefde dat niet te horen.
'We hebben gisteravond Ties ontmoet,' vertelde Tirza. 'Op neutraal terrein. Hij woont in Dordrecht en we hadden in de Wouwse Tol afgesproken, dat wegrestaurant, weet je wel? Daar kom je langs als je naar ons toe komt. Dat lag zo'n beetje halverwege. Trea kwam daar ook naartoe en we hebben met z'n drieën heel wat af gepraat.'
'Jammer dat ik er niet bij kon zijn,' zei Aafke. 'Hoe ziet hij eruit? Lijkt hij op Tim?'
'Niet echt, hij is veel tengerder dan Tim. Maar je kunt wel zien dat hij

familie is, vooral door z'n ogen en z'n mond, en de manier waarop hij lacht, zo'n scheef lachje, dat heeft Tim ook.'
'Stijn heeft dat ook,' beaamde Aafke. 'En verder? Is hij getrouwd, wat doet hij voor werk, hoe oud is hij? O, ik ben zo benieuwd!'
Ze hoorde Tirza lachen. 'Niet alles tegelijk, hoor. Hij is tweeëntwintig, is niet getrouwd, geen idee of hij een vriendin heeft, daar hebben we het niet over gehad, we hadden veel te veel gespreksstof. En hij is bijna klaar met de opleiding tot zilversmid. Hij wil een eigen zaak beginnen.'
'O, dat zal Trea wel leuk gevonden hebben, nog een creatief iemand in de familie.'
'Nou, het klikte ook best tussen die twee. Trea kan zich ook nog het meest van pa herinneren en ze hebben samen zitten vergelijken wat voor soort vader pa geweest is. Dat vond ik heel bijzonder.'
'Dat geloof ik. Hoe oud was Ties toen zijn ouders gingen scheiden?'
'Vijfenhalf. Maar hij heeft in het begin zijn vader nog geregeld gezien, zeker acht of tien keer per jaar. Toen hij een jaar of tien was, is het contact verwaterd omdat z'n vader steeds een ander excuus leek te hebben om een afspraak niet door te laten gaan. Ik denk dat toen de drank een rol ging spelen bij pa. Twee jaar geleden is Ties zelf op zoek gegaan en het contact is toen weer voorzichtig hersteld. Ze ontmoetten elkaar af en toe bij het Leger. Nu pa in het ziekenhuis ligt en niet meer zwerft, bezoekt Ties hem meestal een of twee keer per week, zoals het uitkomt.'
'Hoe is het nu met je vader?'
'Die heeft levercirrose, kan daar niet meer van genezen. Hij moest acuut stoppen met drinken en dat valt niet mee. Dat had de officier ook al verteld. Hij is er behoorlijk ziek van.'
'En geestelijk?' vroeg Aafke. 'Ik bedoel, je hoort toch ook weleens van mensen die aan de drank zijn dat hun hersenen beschadigd raken?'
'Zijn kortetermijngeheugen is niet meer zo goed, maar hij herkent Ties in elk geval wel, en hij lijkt ook te genieten van zijn bezoek.'
'Wat hebben jullie nu verder afgesproken?' vroeg Aafke.
'Ik ben nog niet klaar,' zei Tirza, 'nu komt het vreemde van het verhaal. Ties heeft altijd begrepen van pa dat hij ons niet móćht bezoeken, maar

dat hij dat wel altijd gewild heeft.'
'Hè?' Aafke wist niet wat ze hoorde.
'Ja, zo reageerden wij ook. Wij hebben altijd wat anders gehoord van ma. Volgens haar heeft hij nooit naar ons getaald.'
'Dat had ik ook begrepen van Tim.' Aafke was verbijsterd. Wiens verhaal klopte nu? 'Kan het niet dat hij nu vergeten is hoe het toen gegaan is en dat de wens nu de vader van de gedachte is bij hem?' vroeg ze.
'Dat dachten wij in eerste instantie ook, maar volgens Ties was dat al zo toen hij nog met Ties' moeder getrouwd was. Ties heeft ook altijd geweten dat pa nog drie kinderen had, pa had het daar regelmatig over.'
'Ik snap er helemaal niks meer van,' zei Aafke. Ze was nog steeds stomverbaasd.
'Ties was daarom ook erg verbaasd om te horen dat wij contact zochten,' vertelde Tirza. 'Hij vertrouwde het eerst niet, maar de officier heeft geprobeerd hem te overtuigen van onze goede bedoelingen. Daarom wilde hij ons eerst zelf zien. Wat we dus gisteren gedaan hebben.'
Ze wachtte even en zei toen: 'Hij was ook erg benieuwd naar Tim, vroeg of we foto's hadden en of ze op elkaar leken. Hij leek het jammer te vinden dat Tim geen behoefte heeft aan contact.'
'Misschien verandert dat nog,' zei Aafke hoopvol. 'Wie weet.'
'Ja, dat zeiden wij ook. Maar ik weet het niet, Tim kan nogal koppig zijn.'
'Vertel mij wat,' zei Aafke droog.
Tirza schoot in de lach. 'Maar om op je vraag terug te komen wat we nu afgesproken hebben: Ties zal aan pa vertellen dat wij elkaar ontmoet hebben, en hij zal vragen of, en zo ja, wanneer we bij hem op bezoek kunnen komen. Zodra hij iets meer weet, zal hij weer contact met ons opnemen. Maar dit hebben we dus al.'
Toen Aafke de hoorn op de haak gelegd had, staarde ze voor zich uit. Tims vader had het met zijn zoon regelmatig over zijn drie andere kinderen gehad? Vreemd...
Peinzend liep ze naar boven, waar Tim achter zijn laptop zat. 'Ik heb nou toch iets vreemds gehoord,' begon ze voorzichtig.

'Wil ik dat wel weten?' vroeg Tim stug. Hij keek niet op van zijn typewerk.
'Ik denk het eigenlijk wel,' ging Aafke verder. 'Het zou je een heel ander beeld van je vader kunnen geven.'
Tim stopte met typen en staarde naar het toetsenbord. Hij sloot zijn ogen, zuchtte even en keek toen wat verstoord op. 'Nou, vertel het dan maar, als je het zo nodig kwijt moet, dan hebben we dat maar gehad.'
'Tirza en Trea hebben een gesprek gehad met jullie halfbroer, Ties heet hij. En die vertelde dat jullie vader jullie wel wilde bezoeken, maar dat hij dat niet mocht van jullie moeder.'
'Hoe kan dat nou!' reageerde Tim fel. 'Die probeert zich zeker schoon te praten.'
'Ties heeft altijd geweten dat zijn vader nog drie kinderen had. Je vader had het regelmatig over jullie.'
Tim boog zijn hoofd, hij plantte zijn ellebogen voor het toetsenbord op het bureau en legde zijn handen stijf tegen zijn oren. Dit wilde hij niet horen!
Aafke pakte een stoel en ging naast hem zitten. Ze legde haar hand op zijn arm. 'Tim, als dat zo is, werpt dat een heel ander licht op de zaak.'
Tim zei niets. Er ging van alles door hem heen, maar hij duwde elke gedachte zo ver mogelijk weg. Hij kromde zijn schouders vanwege de pijn die hij weer voelde opkomen in zijn nek en ruggengraat, en kreunde. Nee, niet weer, het ging nu net zo goed met hem!
Hij schudde Aafkes hand van zich af, schoof ruw zijn stoel naar achteren en stond op. Hij probeerde zijn schouders los te schudden en concentreerde zich op een ademhalingsoefening die hij van Lars geleerd had. Maar toen hij zijn knieën voelde knikken, ging hij weer zitten met zijn handen voor zijn gezicht.
Aafke keek wat hulpeloos naar hem. Wat moest ze nu doen? Kon ze hem maar ergens mee helpen!
Van lieverlee werd Tim wat rustiger. Hij slaakte een diepe zucht en leunde achterover, zijn ogen gesloten, zijn handen gevouwen in zijn nek. Hij gaapte. 'Ik ga naar bed, ik moet daar eerst eens een nachtje over

slapen,' zei hij toen. Hij gaapte weer. Toen stond hij op en liep naar de slaapkamer.
Aafke bleef nog een poos zitten met haar handen gevouwen in haar schoot. Wat moest ze hier nu mee?

Ze sliepen allebei onrustig die nacht. De volgende morgen wachtte Aafke tot Tim er uit zichzelf over zou beginnen. Dat deed hij echter niet. Na het ontbijt ging hij direct verder met zijn verslag voor Lars. Pas tegen lunchtijd kwam hij naar beneden en dolde wat met Lisanne, die deze week nog thuis mocht blijven.
De regen viel met bakken uit de lucht, waardoor het kil was in huis. Aafke zette de verwarming wat hoger. 'Dat valt tegen na al die mooie dagen,' rilde ze. 'Ik ben blij dat ik gistermiddag alle boodschappen al in huis heb gehaald toen mam er was.'
Tim knikte. 'Ja, het is niet echt lekker weer om een eindje te gaan fietsen. En daar had ik nou net zo'n zin in. M'n verslag voor Lars is af.'
Aafke keek op. 'Was het moeilijk?'
Tim haalde z'n schouders op. 'Och, moeilijk. Toen ik vorige week terugkwam zat ik er nog goed in, toen ging het achter elkaar. Maar toen kwam die operatie van Lisanne ertussen en heb ik er alleen tussen de bedrijven door wat aan gewerkt, en daardoor is het een wat rommelig verslag geworden. En met al die andere dingen aan m'n kop... Nou ja, ik heb het naar Lars gemaild met uitleg erbij, ik hoor morgen wel of het goed is.'
Hoor je nu wat je zegt? klonk meteen de stem van Lars in zijn oor. 'Eh, ik vond het goed genoeg zo,' verbeterde hij zichzelf er direct achteraan.
'Fijn,' zei Aafke. Ze aarzelde, zou ze er zelf over beginnen? Toch maar doen. 'Vertel je hem morgen over... eh, dat van je vader?'
'Dat weet ik nog niet, hoor,' zei Tim stug. 'Zal ik vast de tafel dekken?'
Einde onderwerp, dacht Aafke. Poppetje gezien, kastje dicht.

's Middags kwam er een telefoontje van een van de teams van Tim of ze langs konden komen, en even later stonden Sandra en haar collega-begeleider Sjaak voor de deur. Sjaak droeg een grote pot met daarin een

plant, zo te zien.
Terwijl Aafke voor koffie en thee zorgde, liep Tim met Sandra en Sjaak naar de woonkamer, waar Lisanne nog op de bank geïnstalleerd lag. 'Ze is vorige week geopereerd, haar blindedarm,' legde Tim uit.
'O? Dat was schrikken zeker, is alles goed gegaan?'
'Ik ben in het ziekenhuis geweest,' vertelde Lisanne triomfantelijk. 'En papa heeft bij mij op de kamer geslapen.'
'Dat vond jij zeker wel fijn?' lachte Sandra. Ze ging bij Lisanne op de bank zitten en bewonderde de diverse knuffels die om haar heen lagen.
Sjaak zette de pot op tafel. 'Tim, voor jou, van je teams.' Tim liep ernaartoe en wikkelde het papier eraf.
Er kwam een klein prunusboompje tevoorschijn waar allemaal verschillende kaartjes aan hingen. Sommige kaartjes waren ware kunstwerkjes, en ieder teamlid had zijn of haar persoonlijke boodschap erop geschreven.
'Wat een leuk idee!' zei Tim blij verrast.
'We hebben je in het begin maar met rust gelaten, zodat je even loskwam van het werk, maar we begrepen nu van Joost dat het iets beter met je ging, dus durfden we nu wel langs te komen.'
Tim knikte. 'Ik mail geregeld naar Joost en het gaat inderdaad iets beter. Maar ik merk dat ik m'n tijd toch nodig heb.'
'Tuurlijk,' zei Sjaak. 'Doe maar kalm aan, wij redden ons wel. Je hebt er zelf voor gezorgd dat we inmiddels zelfsturend genoeg zijn.'
'Fijn om te horen, daar heb ik ook alle vertrouwen in,' zei Tim. Hij wierp een snelle blik op sommige kaartjes. 'Echt leuk, jongens. Willen jullie iedereen hartelijk bedanken?'
Aafke kwam binnen met koffie en thee en bewonderde het boompje. Daarna zaten ze een poosje gezellig te praten, waarbij Tim belangstellend was naar hoe het in de diverse woonhuizen ging. Sandra en Sjaak bleven een uurtje en werden daarna uitgezwaaid door Lisanne, die het wel gezellig had gevonden dat er visite kwam.
Tim was echter bekaf. 'Hoe kan dat nou? Ik heb de hele middag niets gedaan,' zei hij.
'Misschien toch ineens een beetje te veel achter elkaar,' zei Aafke. 'Eerst

die spanning rondom Lisanne, en dan dat verhaal van je vader, en nu ineens weer allerlei verhalen horen van het werk.'
Diezelfde mening was Lars toegedaan toen Tim het hem de volgende dag vertelde. 'Zie het maar als een teken dat je er nog niet bent,' zei hij. 'Luister maar goed naar je lijf.'
Hij kwam terug op het verslag dat Tim gemaild had en de uitleg daarbij. 'Jullie hebben een pittige week achter de rug,' merkte hij op. 'Hoe ben je daarmee omgegaan?'
Tim vertelde het een en ander van de afgelopen week, en dat weer even het gevoel teruggekomen was alsof er een tractor over hem heen gereden had.
'Wederom: luister naar je lijf,' zei Lars. 'En verder?'
Tim aarzelde. Zou hij het vertellen van zijn vader? Maar als hij dan weer zo emotioneel reageerde? Nou ja, Lars was wel wat gewend, en tenslotte had hij beloofd om eerlijk te zijn en niets achter te houden. Dus ging hij wat meer rechtop zitten en zei: 'Ik heb iets gehoord over mijn vader.'
'O? Vertel eens?'
Tim voelde een opkomende boosheid, maar liet het gebeuren. 'M'n zussen hebben een gesprek gehad met die zoon, en die zei dat m'n vader wél contact met ons had willen zoeken, maar dat dat niet mocht van m'n moeder.'
'En wat vond je daarvan?'
Tim kreeg een norse uitdrukking op zijn gezicht en haalde z'n schouders op. 'Die man probeert zich schoon te praten, dat snapt een kind.'
'Wat zegt je moeder ervan?'
Weer een schouderophalen. 'Geen idee, ik heb het haar niet gevraagd.'
'O?'
'Nee, dat heeft geen zin. Dat is haar woord tegen het zijne, daar komen we toch niet uit. Bovendien...' Hij aarzelde even, ging toen verder: 'Wat maakt het nu nog uit? Al die jaren... Hij was er niet, en ik heb hem niet gemist ook,' besloot hij. 'Je kunt toch niet iemand missen die je niet gekend hebt?'
Hij ging voorover zitten met zijn ellebogen op zijn knieën en leunde

met zijn gezicht op zijn handen. Hij zuchtte diep.
'Ben je benieuwd naar hem?' vroeg Lars.
Tim keek woest op. 'Waarom zou ik benieuwd naar hem zijn?' zei hij kwaad. 'Hij was het toch ook niet naar mij?'
'Misschien toch wel, hij zegt van wel.'
'Waarom zou ik hem geloven? Ik bedoel... Hij heeft ons in de steek gelaten, dát is de waarheid.' Hij dook weer in elkaar.
'Wat veroorzaakt die boosheid in jou?' vroeg Lars zacht.
Het was even stil. Tim probeerde zijn antwoord te formuleren, wat niet meeviel met zoveel verwarrende gedachten in zijn hoofd.
Waarom ben ik zo boos? ging het door hem heen. Nou, nogal wiedes, omdat een vader zijn kinderen niet in de steek laat. Omdat hij voor ze moet zorgen, ze moet beschermen, ze moet leren wat leven is. Er gewoon moet zijn.
Hij dacht aan zijn eigen kleine kinderen, aan Lisannes armpjes om zijn nek, aan Stijns grote grijns als hij hem uit bed kwam halen, aan Lisanne die vol vertrouwen durfde te gaan slapen in het ziekenhuis omdat papa bij haar was.
Omdat elk kind de liefde van een vader nodig heeft.
Hij schudde onwillekeurig zijn hoofd. Onzin. Er waren zat kinderen in eenoudergezinnen die prima terechtkwamen. Als z'n vader dertig jaar geleden overleden was, had hij toch ook zonder hem verder gemoeten?
'Tim?' vroeg Lars weer. 'Wat maakt jou zo boos?'
Hij zou nu toch iets moeten zeggen, maar wat? Hij zuchtte en staarde voor zich uit. Vreemd genoeg verdween de boosheid uit zijn hart alsof het wegkolkte door een afvoerputje, en er bleef alleen een akelig leeg gevoel over in zijn hart. Hij zuchtte weer.
'Waar zit je boosheid?' vroeg Lars.
'Die is ineens weg,' zei Tim.
'Waar zat het?'
Tim wees naar de streek onder zijn hart. 'Daar ergens.'
'Omschrijf eens hoe het voelde?'
Tim slaakte weer een diepe zucht en keek wat wrevelig. Hè, dat gedoe allemaal over gevoelens. 'Dat kan ik niet,' maakte hij zich ervan af.

'Wat gebeurt er normaal gesproken als je boos wordt? Hoe uit je dat?' vroeg Lars toen.
Tim dacht na. Wat gebeurde er als hij boos werd? 'Zo vaak ben ik niet boos,' zei hij toen gelaten. Alhoewel... Hij was nog nooit zo vaak boos geweest als het afgelopen halfjaar. Hij dacht aan de avond waarop Aafke hem verteld had dat Tirza en Trea met zijn broer gesproken hadden. En aan de opmerking van zijn moeder dat hij op zijn vader leek. Toen was hij wel flink boos geworden. Wat had hij toen gedaan?
'Als ik boos word, loop ik meestal weg,' realiseerde hij zich hardop.
'Waar loop je dan voor weg? Of voor wie?' vroeg Lars.
'Misschien... Misschien loop ik dan wel weg voor mezelf...' Tim leek diep na te denken.
Het was een poosje stil. 'Voor jezelf?' vroeg Lars toen.
Tim haalde diep adem en zei toen: 'Ik houd niet van ruzie.'
'Is boos zijn hetzelfde als ruziemaken?'
'Ja.' Het kwam er nauwelijks verstaanbaar uit.
Tim zag weer dat kleine jongetje onder de tafel, en de opgeheven vuist van de man. Hij voelde het autootje in zijn hand. Hij voelde de angst bezit van hem nemen.
'Wat gebeurt er nu met je?' hoorde hij de stem van Lars op de achtergrond.
Tim sloot zijn ogen en kromde zijn schouders. Zijn lichaam begon weer te schokken van het ingehouden snikken. Ook nu ontbraken de tranen, maar het schokken werd steeds heftiger. Hij balde zijn vuisten.
'Nee...' kreunde hij angstig.
'Tim?' De zachte stem van Lars bood hem een troostvol houvast. Het schokken werd minder. Hij haalde diep adem en ontspande zijn handen.
'Tim?' vroeg Lars weer. 'Waar was je?'
Toen vertelde Tim hem van het kleine jongetje onder de tafel. 'Misschien ben ik daarom wel zo bang voor mijn eigen boosheid,' besloot hij zijn verhaal. 'Ik wil niet dat iemand zich door mijn boosheid voelt zoals ik me toen voelde.'

'Dat zou heel goed kunnen,' knikte Lars. 'Maar het kan soms heel gezond zijn om je boosheid de ruimte te geven, anders kan die zich tegen je keren. Dat lijkt me iets om de volgende keer mee aan de slag te gaan. Nog genoeg werk aan de winkel, jongen!'

19

Lars kon dat nou wel zo mooi zeggen: 'Je moet je boosheid de ruimte geven', dacht Tim, maar hoe doe ik dat? Ervoor weglopen is soms veel gemakkelijker.

Hij was donderdagmiddag een heel eind wezen fietsen. Het gesprek met Lars 's morgens had hem iets om over na te denken gegeven, en als hij een hoop aan z'n hoofd had, was fietsen voor hem altijd een probaat middel gebleken. De cadans van de ritmisch rondtrappende beweging bracht rust in z'n hoofd.

Bij Aafke werkte dat heel anders. Aafke ging een legpuzzel maken als ze piekerde. 'Dat ordenen van de stukjes ordent tevens m'n gedachtegang,' zei ze altijd. En zijn schoonmoeder Hanneke ging op zo'n moment het liefst in de tuin werken. 'Lekker op m'n knieën met de hand onkruidjes uittrekken, dat maakt m'n hoofd weer lekker schoon.' Zo had ieder mens zijn eigen manier.

Maar het fietsen had dit keer weinig geholpen. Toen hij na een flinke tocht van zo'n twintig kilometer weer thuiskwam, was z'n hoofd zo mogelijk nog voller geweest dan daarvoor.

De dagen daarna had hij het te druk gehad om ergens over na te denken. Hij had twee weken geleden Lobke en Roel beloofd dat hij deze vrijdag en zaterdag bij hen zou komen klussen, iets wat al heel lang op stapel stond. Er moest een nieuwe dakkapel geplaatst worden, en al werd het grootste gedeelte door een aannemer gedaan, de afwerking zouden ze zelf doen, en omdat Tim erg handig was hadden ze gevraagd of hij het zag zitten om mee te helpen. 'Als het niet gaat moet je het echt zeggen, hoor,' had Lobke gezegd. Maar Tim had toegestemd. 'Joh, dat gaat best lukken, het gaat alweer wat beter met me en dat geeft ook wat afleiding.' Die toezegging wilde hij niet op het laatste moment intrekken. Maar toen hij zaterdagavond thuiskwam, was hij zo moe dat hij meteen zijn bed in dook.

Zondag werd opa De Bont vijfenzeventig jaar en reden ze met z'n viertjes naar Abcoude. Iedereen was er: Hanneke en Steven met Sanne, Els en Ton, Lobke en Roel. Hanneke had een flinke pan soep meegebracht

en Els allerlei hapjes en drankjes, zodat oma De Bont alleen voor iets lekkers bij de koffie hoefde te zorgen. Dat was haar fameuze appeltaart geworden. 'Niemand bakt zulke lekkere appeltaart als oma,' riep Lobke.
Het was erg gezellig en de kindjes gedroegen zich voorbeeldig. Lisanne vertelde opa en oma De Bont uitgebreid over haar operatie. 'Ik heb ook een litteken, zal ik dat laten zien?' vroeg ze aan iedereen die het wilde horen.
Lobke zag er nog steeds stralend uit, maar ze oogde wel wat moe. 'Gaat het wel goed met je?' vroeg Aafke bezorgd. Maar Lobke wuifde haar bezorgdheid weg. 'Het gaat prima, ik heb alleen een lichte bloedarmoede, met staalpillen is dat zo weer in orde. En de afgelopen dagen waren best druk met die verbouwing. Roel en Tim hebben wel het meeste gedaan, maar af en toe moest ik ook een handje toesteken, en voor koffie zorgen en zo. We hebben allemaal hard gewerkt, maar het wordt wel erg mooi. Tim was wel moe zeker?'
'Ja,' knikte Aafke, 'hij ging thuis meteen naar bed.'
Opa De Bont was druk bezig geweest in zijn schuur en had een aantal kleine beeldhouwwerkjes staan. 'Ik heb voor alle dames hier iets uitgekozen, wij kunnen het toch niet overal kwijt,' zei hij.
Dat was niet tegen dovemansoren gezegd. Opa maakte mooie dingen. Hanneke kreeg een spelend jongetje, Els een ranke hertenfiguur. Sanne pakte meteen de enige poes in het rijtje. 'Dat dacht ik wel,' lachte opa. 'Die heb ik speciaal voor Sanne gemaakt.'
Aafke kreeg een witmarmeren beeldje in een abstracte vorm. 'Bedankt, opa,' zei ze. 'Dat past mooi in de kamer.'
En tot slot kreeg Lobke een beeldje van een zwangere vrouw, die haar armen in een beschermend gebaar gevouwen voor haar buik hield. 'O, opa, wat prachtig!'
Opa glunderde bij het zien van de enthousiaste reacties. In de tijd dat Lobke ziek was, had hij haar de basisbeginselen van het beeldhouwen bijgebracht, maar toen ze weer beter was, hadden haar studie en later haar werk haar dusdanig opgeslokt dat ze er niet meer toe kwam.
'Jammer dat jij het niet meer doet, je had er echt talent voor,' zei hij.

'Misschien dat ik het straks wel weer oppak, als de baby er is. Die geeft me vast wel voldoende inspiratie!'
's Middags gingen ze met z'n allen nog een eind wandelen. Alleen oma De Bont ging niet mee, die ging een poosje rusten.
Tim liep samen op met Steven. 'Hoe is het met je?' vroeg Steven.
'Beetje op en neer,' zei Tim. 'Soms denk ik dat het de goede kant op gaat, maar dan heb ik weer een terugval en lijkt het alsof ik weer terug ben bij af. Daar baal ik wel van.'
'Klikt het een beetje met die psycholoog?' vroeg Steven nieuwsgierig. Hij had als nuchtere cijferman weinig op met zielenknijpers en alles wat daarmee te maken had.
'Ja, best wel,' antwoordde Tim. 'Het is een geschikte vent en ik voel me serieus genomen door hem. Het is niet altijd makkelijk, maar ik heb er wel wat aan.'
Steven aarzelde even, toen zei hij: 'Begreep ik het nu goed dat je vader weer in beeld is?'
'Niet bij mij,' zei Tim direct. 'M'n zussen wilden dat, ik niet. Ik heb hem amper gekend, hij was er niet toen ik hem nodig had, dus wat moet ik nu nog met een vader?'
Ineens schoot hem te binnen dat Steven zich nooit zo positief over diens eigen vader had uitgelaten. 'Jij had wel een vader,' zei hij toen. 'Mis je hem?'
'Als kiespijn,' antwoordde Steven en even lachte hij grimmig. Toen ging hij verder: 'Nee, dat is natuurlijk onzin, die man had ook z'n goeie kanten. Maar die kwamen er bij mij nooit zo uit. Ik deed het toch nooit goed genoeg.'
'O?' vroeg Tim. Zijn schoonvader was naar hem meestal wat afstandelijk, en Tim dus ook naar hem. Maar deze vertrouwelijkheid tussen hen was nieuw. Hij wilde dat vasthouden en vroeg daarom: 'Wat was het voor soort man? Je vertelt er eigenlijk nooit wat over.'
'Daar heb ik ook weinig behoefte aan. Wat zou ik moeten vertellen? Hij was altijd druk bezig voor de kerk, en in de gemeente had men hem hoog zitten. Maar hij was daar zo druk mee bezig dat hij bijna nooit thuis was. Ik heb hem weleens verweten dat hij wel altijd op

bezoek ging bij eenzame mensen in de kerk, weduwen en bejaarden en zo, maar dat mijn moeder daardoor ook altijd alleen zat, en of zij dan niet voor ging. Toen kon ik een klap in m'n gezicht krijgen, want ik was 'brutaal'.' Hij liet een kort lachje horen. 'Ja, opa Schrijver was ontzettend 'recht in de leer', maar hij vergat zijn eigen gezin. Dus ik had wel een vader, maar hij was er nooit.'
Hij haalde diep adem en zei toen: 'Eerlijk gezegd was ik blij toen hij dood was. Of blij... Meer opgelucht. Ja, dat is het goede woord. Opgelucht dat ik niet meer hoefde te vechten.'
'Te vechten? Gingen jullie elkaar te lijf?' vroeg Tim verbaasd.
Steven lachte. 'Nee, zo erg was het niet. Hij sloeg mij wel af en toe, maar hij legde er altijd bij uit dat hij dat moest doen omdat dat in de Bijbel stond. Wie zijn kinderen liefheeft, tuchtigt ze, of zoiets. Maar hoe ouder ik werd, hoe minder hij dat deed. Misschien kwam dat wel omdat ik veel langer werd dan hij...' Hij lachte weer, en ging toen verder: 'Nee, met vechten bedoel ik dat ik niet meer hoefde te vechten voor zijn goedkeuring, voor zijn aandacht, voor zijn bevestiging dat ik mocht zijn wie ik was. Een gevecht dat ik allang verloren had en nooit zou winnen.'
Het was een poosje stil tussen hen. Het gebabbel van de anderen die voor hen uit liepen was zacht hoorbaar. Steven staarde naar zijn schoonvader, die stevig gearmd tussen Hanneke en Els in liep. Toen ging hij verder: 'Pas bij Hanneke thuis voelde ik me geaccepteerd om wie ik was. Mijn schoonvader heeft daar een belangrijke rol in gespeeld. In hem leerde ik hoe een vader ook kon zijn.'
Tim knikte. Dat had hij zelf ervaren bij buurman Marijn.
'Er zijn zelfs momenten geweest waarop ik blij was dat ik zelf geen zoon kreeg maar alleen maar dochters,' vervolgde Steven. 'Ik voelde me altijd meer op mijn gemak bij vrouwen dan bij mannen. Bovendien had mijn schoonvader ook alleen maar dochters, dus ik had geen goed voorbeeld van hoe het ook kon zijn tussen vader en zoon, alleen het voorbeeld van mijn eigen vader met mij. En dat was bij ons in de kerk een gebruikelijk soort relatie, bij de weinige vrienden die ik had was het net zo.

Je vroeg net of ik mijn vader miste. Weet je dat ik hem pas ging missen toen ik bij Hanneke over de vloer kwam? Of eigenlijk miste ik hem zelf niet, maar ik miste de vader die hij nooit geweest was en ik durfde dat toen pas toe te geven aan mezelf. De man was al jaren dood, maar toen ik zag wat voor soort vader mijn schoonvader was, werd ik achteraf zelfs boos op mijn vader. 'Zo kan het dus ook!' had ik hem toe willen roepen. Maar toen bedacht ik dat hij waarschijnlijk hetzelfde tegen mij had gezegd als hij me vergeleek met jongens in de kerk die wel in de voetsporen van hun vader traden. Hij miste in mij blijkbaar iets, zoals ik iets in hem miste,' besloot Steven triest. 'En dus was ik nooit goed genoeg.'
'Jij had dus wel een vader, maar je had er niets aan,' concludeerde Tim.
'Och, ik had er niets aan, dat wil ik niet zeggen. Mede door hem heb ik een goede baan en heb ik geleerd mijn best te doen en door te zetten. Maar pas door mijn schoonfamilie heb ik geleerd wat liefde is.'
'Zoals ik bij jullie,' zei Tim.
Steven keek hem aan en legde zijn arm op Tims schouder. 'Het doet me goed om dat te horen, jongen,' zei hij aangedaan. 'Echt, dat doet me goed.'

Na het eten namen ze afscheid en reden ze weer huiswaarts. Lisanne en Stijn vielen direct in slaap, het was een vermoeiende dag geweest.
Toen ze halverwege waren, begon Tim over het gesprek met Steven. 'Hij had wel een vader, maar hij had er niets aan,' besloot hij. 'Voor 't zelfde geld is mijn eigen vader net zo'n soort man, en is het alleen maar goed dat hij weggegaan is. Wat heeft het toch voor zin om hem achteraf nog te gaan zoeken?'
'Maar hij kan ook wél een aardige man zijn,' diende Aafke hem van repliek. 'En aardige man of niet, Tirza wil het gewoon een kans geven dat het nog goed komt tussen jullie en hem, dat jullie een normale relatie met elkaar krijgen. Zij wil Gertjan een opa geven, en jullie vader zijn kleinzoon laten zien.'
'Gertjan heeft al een opa, een hartstikke leuke, net als onze kinderen. Wat moeten zij met nog een opa?' Tim wond zich weer op. 'Je vader

vertelde dat hij zelfs opgelucht was toen zijn vader doodging. Nou, dan houd ik het liever zoals het nu is. Ik voel nu niks bij hem, en dus ook niet als hij straks doodgaat.'
'Wat dus misschien niet zo lang hoeft te duren,' zei Aafke. 'Hij is ernstig ziek.'
'Nou dan! Wat heeft het dus voor zin? Laat die man gewoon doodgaan zonder mij daarbij te betrekken. Ik heb al genoeg aan mijn hoofd.' Tim voelde zijn boosheid opkomen, maar duwde die weer weg. Wat had Lars ook alweer gezegd? 'Geef je boosheid de ruimte.' En dan ruziemaken met Aafke? Daar had hij geen zin in, ervoor weglopen was veel gemakkelijker. 'Sorry, laten we er maar over ophouden.' 'Sorry', daar had je het weer...
Aafke schudde haar hoofd. Zij wilde er wel verder over praten, maar op dit moment had deze discussie geen zin. 'Oké,' zei ze. 'Laten we eerst maar eens afwachten wat die Ties straks te vertellen heeft.'
Ties? O ja, die andere zoon. 'Prima, als je mij er maar buiten laat.'
Zwijgend reden ze het laatste stuk naar huis.

Dinsdag kwam Hanneke weer. 'Ik begreep van Steven dat jullie het over jullie vaders gehad hebben,' begon ze toen Tim en zij aan de koffie zaten. 'Goed gesprek?'
'Verhelderend,' zei Tim, maar hij liet zich er verder niet over uit.
Hanneke zag de stugge uitdrukking op zijn gezicht. Dan niet, dacht ze.
Maar even later begon Tim er zelf weer over. 'Mag ik je eens iets vragen?'
'Natuurlijk, altijd, ik weet alleen niet of ik een antwoord heb,' lachte Hanneke.
'Je had het er vorige keer over dat ouders het goede voorbeeld moeten geven. Maar als die nu zelf geen goed voorbeeld gekregen hebben? Ik bedoel... Steven had toch ook geen goed voorbeeld? Maar hij is wel een goede vader. Tenminste, dat vind ik, en dat vinden jullie dochters ook.'
'En wil je nu van mij weten hoe hij dat geworden is?' vroeg Hanneke.
'Dat had je beter aan hem zelf kunnen vragen.'
'Nee, ik noem hem alleen als voorbeeld. Maar ik vroeg me af... Ik moest

een tijdje terug denken aan een van die beelden in de bijbelse tuin, dat van de verloren zoon. Dat was een beeld van een wijze, vergevende vader en een domme, alleen aan zichzelf denkende zoon. Er staat nergens een beeld van een vader die ervandoor gegaan was en die door zijn zoon weer liefdevol ontvangen werd. Toch?'
'Nee, dat niet,' zei Hanneke. 'Maar die tuin staat wel vol beelden die op de een of andere manier de liefde vertegenwoordigen. Maria met haar kind, eerst als baby, en later, toen hij overleden was, met zijn dode lichaam in haar armen. De beelden van Maria's ouders, Joachim en Anna, de beeldengroep van de heilige familie, van Ruth, van Abraham en Isaak. Er staan er genoeg. Met als ultieme weergave van de liefde de beeldengroep van de kruisgang. 'Alzo lief heeft God de wereld gehad, dat Hij zijn eniggeboren Zoon gegeven heeft...' Beelden die de liefde tussen God en de mens en tussen mensen onderling vertegenwoordigen. En dan gaat het dus niet alleen over de liefde van een vader voor zijn zoon, maar ook van een zoon voor zijn vader.'
'Maar als een man die liefde van z'n ouders nu nooit ervaren heeft?' vroeg Tim dringend. 'Kijk, dat zo iemand dan wel van zijn eigen kinderen houdt, dat is logisch, je moet wel van steen zijn als je niet van een klein, hulpeloos kind kunt houden. Bovendien krijg je daar heel veel liefde van terug. Maar om dan ook van die ouders te houden? Dat kan toch nooit? Liefde is toch iets wederzijds?'
'Dat zou je haast zeggen als je om je heen kijkt,' zei Hanneke. 'Liefde als ruilmiddel: als jij van mij houdt, houd ik ook van jou. Zoals heel veel echtparen een ruilrelatie hebben: zorg jij nou voor mij, dan zorg ik voor jou. Maar zo werkt het niet. Iemand moet daar dan toch mee beginnen? Bovendien zijn er genoeg verhalen in de literatuur van een brandende liefde die niet beantwoord werd, en die toch in stand bleef. Of, erger, liefde die daarna omsloeg in haat. Liefde en haat liggen blijkbaar dicht tegen elkaar, raar hè? Met haat werkt het soms wel zo: jij haat mij, dus ik haat jou. Maar bij liefde is dat iets anders.'
Ze haalde diep adem. 'Nu lijkt het wel alsof ik ga preken, maar ik wil het toch zeggen: ware liefde is niet afhankelijk van of je het wel terugkrijgt. Ware liefde geeft omdat het wil geven, niet omdat het iets terug

wil ontvangen. Het staat zo mooi in 1 Korinte 13: de liefde is geduldig, de liefde kent geen afgunst, de liefde rekent het kwaad niet aan. De liefde verdraagt alles, gelooft alles, hoopt alles. Van geloof, hoop en liefde is de liefde het belangrijkst.'

Ze zocht naar een voorbeeld. 'Weet je, bij ons op het koor is een mevrouw die iedereen tegen de haren in strijkt. Ze kan erg bot zijn, weet het altijd beter, kan niet tegen kritiek, bijna iedereen ergert zich aan haar. Ze weet dat wel, maar zegt dan altijd: 'Ik ben nu eenmaal zo, dat komt door m'n opvoeding.' Maar dat zegt ze zo vaak dat ik op een gegeven moment dacht: ja, doei, je moet ook eens een streep kunnen zetten en verantwoordelijkheid nemen voor je eigen gedrag. Herinner je je nog dat ik het had over die rotonde?'

Tim knikte.

'Nou, dat bedoel ik. Die mevrouw bleef, ondanks het feit dat ze al ver in de vijftig was en haar ouders niet meer leefden, de verantwoordelijkheid voor haar gedrag nog steeds bij haar ouders leggen. Ze had bij wijze van spreken nog nooit een andere afslag genomen op de rotonde van het leven. Het was zo en het bleef zo.

Je had het over Steven. Steven heeft weinig liefde ondervonden van zijn ouders, met name zijn vader kon dat blijkbaar moeilijk geven. Ik heb zijn ouders nooit gekend, ze waren al overleden toen wij elkaar leerden kennen, maar wat ik over hen hoorde, maakte me niet echt blij. Zijn moeder probeerde steeds te schipperen tussen vader en zoon, maar maakte het daardoor alleen maar erger. Toch is Steven zelf een liefdevolle vader geworden, en waardoor? Misschien omdat hij in ons gezin ervaren heeft wat liefde is, en hij in zijn leven een andere afslag durfde te nemen. Want dat vraagt wel moed.'

'Maar Steven praat nog steeds niet liefdevol over zijn eigen vader, dus als hij de kans kreeg om hem weer te ontmoeten, zou hij daar ook moeite mee hebben en dat misschien niet eens willen,' zei Tim. 'Ondanks dat hij nu weet wat liefde is.'

Hanneke dacht na. 'Misschien heb je gelijk,' zei ze toen. 'Al durf ik daar mijn hand niet voor in het vuur te steken. Steven heeft weinig liefdevolle herinneringen aan zijn vader, maar als hij de kans zou krijgen om

nu, met de liefde die hij in zich draagt, in het reine te komen met zijn vader, zou hij die kans dan niet aangrijpen? Heb je hem dat gevraagd?'
'Nee,' moest Tim bekennen. 'Dat vul ik zelf in.'
'Ik heb ooit een boek gelezen, dat schiet me nu te binnen,' zei Hanneke. 'Ik weet niet meer hoe het heette, maar ik herinner me een scène over een moeder en een dochter. Die moeder had net te horen gekregen dat haar man vreemd was gegaan en was daar helemaal verbijsterd over. En die dochter kwam net thuis met een tekening die ze op school gemaakt had, en waar de juffrouw helemaal verrukt over was geweest. Dat meisje zocht diezelfde bevestiging bij haar moeder, maar die had genoeg aan zichzelf en zei: 'Laat mama maar met rust.' Het meisje begreep het niet, ze wilde toch alleen maar haar tekening laten zien, zoveel tijd vroeg dat toch niet van mama? Ze ging mopperen, moeder mopperde terug, het werd een hele ruzie die nergens over ging, maar waarin moeder en dochter elkaar over en weer verwijten maakten, die jaren later nog steeds terugkwamen. De vraag daarna ging over bij wie de schuld lag: bij die vader, omdat hij vreemdgegaan was, waardoor die moeder zo overhoop met zichzelf lag? Bij die moeder, omdat zij haar eigen behoeften niet even opzij kon zetten voor de behoefte van haar dochter aan bevestiging? Of bij de dochter, die toch wel kon zien dat haar moeder het moeilijk had? Je begrijpt het al, men kwam er niet uit. Allemaal heel begrijpelijke gevoelens, maar ze leidden wel tot miscommunicatie. Ook daar zou je dat beeld van die rotonde op los kunnen laten. Als de volwassenen daarin een andere afslag genomen hadden – zoals die vader, door niet vreemd te gaan, of zoals die moeder, door haar eigen verdriet niet ten laste te laten komen van haar dochter – was het anders gelopen. Maar ook voor die dochter geldt dat. Zij kan heel haar leven blijven hangen in de teleurstelling over het wegblijven van bevestiging, maar daarmee blijft ze steeds dezelfde afslag nemen en verandert er voor haar ook nooit iets. Heel het leven draait om keuzes maken.'
Tim dacht aan zijn moeder. Zij was na de scheiding een verbitterde vrouw geworden. Bleef zij ook steeds dezelfde afslag nemen op haar levensrotonde? Omdat haar man haar verlaten had? Was dat het

'versteende' in haar dat hem steeds meer ging storen?
Hij dacht aan de verbaasde woorden van Aafke, dat zijn vader zijn eerste drie kinderen wel op had willen zoeken, maar dat zijn moeder dat tegengehouden had. Stel dat dat waar was? Zouden haar haat en verbittering zo ver gegaan zijn?
Plotseling overviel hem het onverwachte verlangen om zijn vader te ontmoeten. Hij werd erdoor verrast, maar duwde dat verlangen niet weg.
Hij stond op, bang om dit wonderlijke, nieuwe gevoel kwijt te raken als Hanneke doorging met praten. 'Ik ga nog even naar boven, ik moet nog aan een verslag werken,' zei hij. 'Bedankt voor je woorden, ik zal erover nadenken.'
Hanneke knikte. 'Dan ga ik samen met Stijn Lisanne uit school halen. Het is toch bijna tijd.'
Boven ging Tim achter zijn bureau zitten, zijn ellebogen op het blad, zijn kin op zijn handen. Hij staarde naar het blad en zuchtte. Een verlangen naar zijn vader. Het moest niet gekker worden...

20

De volgende dag kreeg Aafke een telefoontje van Tirza. Tim was een eind fietsen, dus ze kon vrijuit praten.

'Ties heeft gisteravond gebeld, pas om een uur of tien, dus toen durfde ik jullie niet meer te bellen. Hij is gisteravond op bezoek geweest in het ziekenhuis en heeft met z'n vader gesproken, met pa dus. Ties heeft hem verteld dat wij contact zochten. Z'n vader reageerde daarop zo emotioneel dat Ties even bang was dat hij erin zou blijven, hij durfde het haast niet te geloven.'

'Spannend!' zei Aafke. 'En wat nu?'

'Nou, pa schijnt toch behoorlijk ziek te zijn, niet alleen van die levercirrose, maar ook door de ontwenningsverschijnselen omdat hij absoluut geen drank meer mag. Hij krijgt een eiwitarm dieet en ook allerlei medicijnen, die soms nare bijwerkingen hebben. Ties hoopt nu dat het bericht dat wij contact zoeken hem een positieve impuls geeft om het vol te houden. Pa wil eerst wat opknappen voor hij ons onder ogen wil komen, dus dat moeten we nog afwachten. Maar we zijn weer een stapje verder!'

'Misschien kun je alvast wat foto's naar hem opsturen, zou dat een idee zijn? Dan kan hij een eerste indruk krijgen van de mensen die straks naast zijn bed staan.'

Tirza reageerde meteen enthousiast. 'Goed idee! Ik zal het aan Ties voorstellen. Als hij het ook een goed idee vindt, zal ik z'n e-mailadres vragen, dan kan ik hem wat foto's mailen die hij dan aan pa kan geven.' Ze viel even stil, Aafke hoorde haar zuchten. Toen ging Tirza verder: 'Ik word er gewoon zelf emotioneel van, wil je dat wel geloven? En weet je wat ik zo leuk vind? Trea reageert ook steeds enthousiaster. In het begin hoefde het voor haar niet zo, maar ze kijkt nu ook uit naar een ontmoeting met pa. Wie weet gaat Tim ook nog een keer om.'

'Nou, reken daar maar niet te hard op,' remde Aafke haar enthousiasme wat af. 'Tim heeft nog genoeg aan zijn hoofd.'

'Ja? Gaat het nog niet zo goed met hem?'

'Het gaat een beetje op en af, ik krijg er zelf ook niet zo goed hoogte van. Gisteren heeft hij weer een heel gesprek gehad met m'n moeder, vertelde hij, maar het fijne ervan wilde hij niet kwijt. Ik laat hem maar doen, als ik het probeer te forceren werkt dat toch alleen maar averechts. Ook dat met pa, ik dring niet meer aan, hij moet er zelf aan toe zijn.'

Op dat moment fietste het onderwerp van hun gesprek door de polder. Tim had die nacht weinig geslapen. Het gesprek met Hanneke bleef maar door zijn hoofd malen, en haar beeld van een rotonde stond op z'n netvlies gegrift. Bij elke rotonde die hij voorbij fietste, moest hij eraan denken.
Vannacht had hij iets bedacht waar hij van geschrokken was.
Zijn moeder had na de scheiding nooit meer een andere afslag genomen op haar levensrotonde. Ze was waarschijnlijk zo 'versteend' in haar pijn, dat zij daarmee geen oog had gehad voor de behoeften van haar kinderen. Hij dacht aan het meisje uit het voorbeeld van Hanneke, dat zo graag de tekening aan haar moeder wilde laten zien en bij haar bevestiging zocht. Dat voorbeeld had van alles in hem losgemaakt.
Hij had als kind ook behoefte gehad aan bevestiging. Maar op een gegeven moment had hij zich erbij neergelegd dat zijn moeder, door de manier waarop zij zich opstelde na de scheiding, die bevestiging niet kon geven. Zoals de moeder uit het voorbeeld van Hanneke.
Vannacht realiseerde hij zich ineens dat hij daarmee zijn eigen behoefte aan bevestiging opzijgeschoven had als zijnde zinloos. Zij kon het niet geven, dan had het geen zin om het bij haar te blijven zoeken. Punt.
Maar vannacht drong het tot hem door dat zijn behoefte aan haar bevestiging nog steeds levend was. Ondanks alle bevestiging die hij van zijn omgeving kreeg, van Aafke, van zijn schoonfamilie, van zijn eigen zussen, van zijn leidinggevende, van zijn collega's, van zijn teams, bleek dat dat niet genoeg was om dat lege gat in hem te vullen.
Hij had gedacht dat die behoefte zinloos was omdát zijn moeder die behoefte niet kon vervullen.
Maar dat waren twee verschillende dingen, die los van elkaar stonden.

Hij had behoefte aan de bevestiging van zijn moeder. Punt.
En zijn moeder was niet in staat – of niet bereid, maar de uitkomst was hetzelfde – om die bevestiging te geven. Punt. Ze had hem gevoed, gekleed, zijn schoolgeld betaald, voor hem gewassen en gestreken, was op ouderavonden geweest – maar ze had geen liefde getoond. Misschien kon ze dat niet eens, had ze dat zelf ook nooit ontvangen. Hij wist eigenlijk weinig van haar jeugd, daar praatte ze nooit over, zoals ze over niets praatte dat gevoelens naar boven kon brengen. Misschien was datgene wat ze voor hem en zijn zussen gedaan had, al meer dan ze eigenlijk op kon brengen in haar eigen pijn.
Maar dat laatste maakte zijn eigen behoefte aan bevestiging niet minder legitiem. Hij was een kind. Voor een kind is die behoefte aan bevestiging net zo natuurlijk als de behoefte aan eten.
Omdat je het nodig hebt om te groeien.
Hij dacht aan een eerder voorbeeld van Hanneke, over een kind in een volwassen jas. Een buitenkant die er wel uitzag als een volwassene, maar vanbinnen zat nog steeds een kind, dat schreeuwde om bevestiging. Zoals misschien wel bij zijn moeder.
Zoals bij hem.
Die waarheid bracht een pijn in hem naar boven die bijna ondraaglijk was. Hij was een paar keer uit bed gegaan vannacht, om te proberen weg te lopen van die pijn. Tot hij de woorden van Lars hoorde: 'Geef je boosheid de ruimte.' En hij zich realiseerde dat dat waarschijnlijk ook gold voor pijn.
Beneden op het toilet had hij een poos zitten snikken, bijna geluidloos, in de hoop dat Aafke het niet zou horen. Hij zou het niet kunnen verdragen als zij hem horen zou en hem dan had willen troosten door een arm om zijn schouder te slaan. Hij wilde alleen zijn met zijn pijn. Hij had zijn armen gekruist en ze om zijn eigen schouders geslagen, alsof hij zichzelf, dat kind in hem, wilde troosten.
Vanmorgen bij het ontbijt had Aafke hem bezorgd aangekeken. 'Gaat het wel goed met je? Je ziet er zo... zo bezwaard uit. Alsof je doodmoe bent. Is dat nog steeds van dat klussen bij Lobke en Roel?'
Hij had zijn hoofd geschud. 'Nee, maar laat me maar even. Ik vertel het

je nog wel, maar nu even niet.' Hij was veel te bang dat hij in het bijzijn van Lisanne en Stijn in huilen zou uitbarsten. Hij was na het ontbijt dan ook direct op de fiets gesprongen. Even weg!
Eerst had hij gefietst alsof zijn leven ervan afhing. Pas toen hij Boskoop al ver achter zich gelaten had, ging hij wat langzamer rijden.
Hij keek om zich heen. Geen mens te zien. In de verte hoorde hij de snelweg, maar dat was dan ook het enige geluid dat hij hoorde naast het fluiten van de vogels en het ruisen van de wind.
Hij werd geraakt door de felgele kleur van de vele dotterbloemen die langs het water stonden. Zulk diep geel, zo zonnig. Zo anders dan hij zich nu voelde.
Hij voelde zo'n zwaar gewicht op zijn schouders, dat hij zichzelf dwong om stil te staan en af te stappen. Hij liet de fiets vallen en liep naar de waterkant. Daar ging hij zitten, z'n schouders gebogen onder de zware last.
'Geef je boosheid de ruimte,' had Lars gezegd. Was het boosheid, wat hij nu voelde? Het borrelde omhoog onder zijn middenrif vandaan, worstelde zich een weg naar boven, verzamelde zich in zijn borstkas, zwol daar op als een ballon, tot het in een diepe kreun naar buiten kwam. Hij wilde het wel uitschreeuwen, en beseffend dat niemand hem hier kon horen, liet hij het maar gebeuren. De schreeuw verliet zijn keel als een rauw geluid, als de brul van een gewond dier, om weg te sterven over het water.
Daarna kwamen de bibbers, als de ontlading na zware inspanning. Hij kon niet ophouden met schudden, en ook dat liet hij maar gebeuren. De tranen liepen over zijn wangen. Hij veegde ze weg met zijn mouw, maar er kwamen nieuwe, en nieuwe, en nieuwe...
Op de een of andere vreemde manier luchtte het op. De kramp in zijn borstkas zwakte af en maakte ruimte voor een gevoel van leegte. Niet de doffe leegte die er eerder was, maar een schone, lichte leegte. Alsof hij onder de douche gestaan had en schoongewassen was.
Uitgeput bleef hij nog een poosje zitten, terwijl de zachte voorjaarswind zijn natte wangen droogde. Hij keek naar het water. Er zwom een koppel futen voorbij en in de verte hoorde hij het geschetter van

een paar eksters.
Toen fladderde er een vlindertje voor hem langs. Een koolwitje. Het kwam op zijn mouw zitten. Doodstil staarde hij naar dat wondere wezentje, dat wat heen en weer bewoog met de schitterende vleugeltjes waarop grijze strepen stonden als de nerven van een blad. Toen vloog het weg.
Hij staarde het vlindertje na met een onmogelijk verlangen. O, zo te kunnen fladderen en vliegen, zonder na te hoeven denken over akelige dingen als oorlog, haat, honger, pijn. Zonder al die zware verantwoordelijkheden en moeilijke beslissingen. Alleen maar hoeven fladderen van bloem naar bloem, op zoek naar nectar. Godendrank...
Bij Hans en Tirza in de buurt was een vlindertuin, waar de prachtigste vlinders rondvlogen. Hij was er eens geweest met Aafke en Lisanne, toen Lisanne nog maar tweeënhalf was. Ze had met verrukking naar al dat bonte gefladder gekeken, en toen er zo'n grote blauwe vlinder op haar handje was komen zitten, was ze niet eens geschrokken maar had ze met verbaasde, grote ogen naar het diertje zitten kijken. 'Bloem,' had ze gefluisterd.
Hij dacht met iets van weemoed terug aan die dag. Toen leek alles nog zonnig. Toen was geluk heel gewoon...
Geluk, wat was dat eigenlijk? Was dat een gevoel of een toestand? Was hij nu minder gelukkig dan toen?
Met Aafke was hij gelukkig, dat was een diepgeworteld gevoel waarvan hij hoopte dat dat nooit zou verdwijnen.
Met Lisanne was hij ook gelukkig. Zijn kleine meisje, dat zoveel liefde en vreugde in zijn leven had gebracht, bij wie hij zijn hart week voelde worden.
En met Stijn?
Hij besefte plotseling dat zijn leven niet meer volledig zou zijn als hij Stijn zou moeten missen. Stijn hoorde erbij. Hij hield van dat kleine manneke met zijn bolle wangen, zijn gulle lach, zijn grote blauwe ogen, zijn mollige knuistjes. Die liefde vulde zijn hart en bracht tranen in zijn ogen.
Hij hield van Stijn.

Misschien was hij tot nu toe bang geweest om die liefde toe te laten in zijn hart. Misschien was hij bang geweest om zich aan dat kleine jongetje te hechten. Om wat voor reden dan ook. Daar zou Lars vast wel een antwoord op weten.
Of misschien had hij wel hetzelfde als Steven, dat hij zich meer op zijn gemak voelde bij vrouwen dan bij mannen. Hij was tenslotte in een vrouwengezin opgegroeid, en bij Aafke thuis waren ook alleen maar meisjes.
Maar hij had buurman Marijn gehad. Hij had in hem een voorbeeld gehad hoe het ook kon.
Hij was de vader van een zoon, de vader van Stijn. En als vader van Stijn was hij vast van plan om de kleine jongen alle bevestiging te geven die hij nodig had. Om hem steeds te zeggen dat hij van hem houdt, en dat ook te laten merken. Om zijn armen om hem heen te slaan, ook als hij groter werd. Net als Jaspers vader nog deed bij zijn inmiddels volwassen zoon.
Hij stond op en pakte zijn fiets. Nog even keek hij rond op die wonderlijke plek, waar hij een stukje van zichzelf hervonden had. Daarna stapte hij op zijn fiets en reed hij op zijn gemak naar huis.

Aafke zag het meteen toen hij binnenkwam. 'Het ritje heeft je goedgedaan, je ziet er een stuk beter uit dan vanmorgen!' Ze kuste hem op zijn wang. 'Lekker fris ben je!'
De tafel was al gedekt. Hij keek op de klok. Was hij zo lang weggebleven? Tot zijn verbazing was het al kwart voor een.
'Lisanne heeft al gegeten, die wilde zelf naar bed,' zei Aafke. 'En Stijn ligt er ook net in.'
Ze liep naar de keuken. 'Wil je een gebakken eitje? Ik heb nog een paar tomaten, en een ui ligt er vast ook nog wel in de voorraadkast.'
'Lekker!' zei Tim. 'Ik zoek wel een ui.'
Hij zocht en vond een netje uien in de voorraadkast, en liep ermee naar de keuken. 'Zal ik 'm snijden? Ik heb al zoveel gehuild vanmorgen, dat kan er ook nog wel bij.' Hij lachte terwijl hij het zei.
Aafke keek hem verbaasd aan. 'Zoveel gehuild?'

'Ja, en dat luchtte me toch op,' zei Tim. 'Alsof ik onder de douche geweest was.'
Terwijl hij de ui en Aafke de tomaten sneed, vertelde hij hoe hij de ochtend doorgebracht had. 'Het is gek, maar zomaar te kunnen schreeuwen zonder dat iemand me hoorde, was zo lekker. Alsof het uit m'n tenen moest komen.'
Hij wreef over zijn maag. 'Hè, ik heb best trek.' Hij pakte een koekenpan uit het aanrechtkastje en zette die op het gas. Terwijl hij het eiprutje bakte, vertelde hij over de vlinder. 'Ik moest toen terugdenken aan de vlindertuin, en hoe anders alles toen nog was. En ik realiseerde me toen dat ik zo gelukkig ben met jou, en met Lisanne, en met Stijn.' Even schoot hij vol. 'Dat komt van die ui, hoor,' lachte hij door zijn tranen heen.
Aafke sloeg haar armen om zijn middel en drukte hem tegen zich aan. 'Gekkie. Je bent wel een man, maar mannen mogen tegenwoordig ook huilen, hoor.'
Ze knuffelde hem en veegde toen voorzichtig de paar tranen die van zijn wangen rolden. 'Ik ben ook heel gelukkig met jou,' fluisterde ze.
'Ondanks dat je op 't ogenblik weinig aan me hebt?'
'Ondanks dat...' Ze week ineens achteruit en keek hem fronsend aan. 'Wat zeg je nou weer voor raars?' Ze schudde hem speels door elkaar. 'Hoe kom je erbij dat ik niet zoveel aan je heb?'
'Nou, ik word boos op de raarste momenten, loop weg als het me te veel wordt, laat jou alleen zitten met onze bloedjes van kinderen, ben meer met mezelf bezig dan met jou, wil niet eens luisteren als jullie het over m'n vader hebben, en zo kan ik nog wel even doorgaan...'
Aafke liet hem los en pakte de koekenpan van het gas. 'Laten we eerst maar gaan eten. En als je nu wel zou willen luisteren: ik heb nieuws over je vader.'

Toen ze zaten te eten, vertelde Aafke over het telefoongesprek met Tirza. 'Het gaat dus niet zo goed met je vader, maar hij zou jullie wel graag willen ontmoeten, alleen wil hij daarvoor eerst wat opknappen.' Ze keek nieuwsgierig naar Tim. Hoe zou hij reageren?

Tim worstelde met zijn gevoelens. Het positieve gevoel van vanmorgen kreeg tot zijn verbazing echter al snel de overhand. Hij realiseerde zich dat hij ook hierin een eigen keuze en een eigen verantwoordelijkheid had. 'Een andere afslag op je rotonde nemen dan je gewend bent,' zou Hanneke zeggen. Hij voelde ook weer het verlangen om zijn vader te ontmoeten dat hem onverwachts overvallen had aan het eind van het gesprek met Hanneke.
'Wat heeft hij precies?' vroeg hij toen.
'Levercirrose,' wist Aafke. 'Ontstaan door veel alcoholgebruik.'
'Alcoholgebruik?'
Aafke knikte. 'Je vader is verslaafd, of verslaafd geweest. Hij mag absoluut niet meer drinken, maar z'n lever is ernstig beschadigd.'
'Hoelang dronk hij al?' vroeg Tim.
'Volgens Ties, zijn andere zoon, al een tijd. Hij was na een reorganisatie zijn baan kwijtgeraakt en kon niet meer aan de slag komen. Toen is hij gaan drinken.' Ze aarzelde even. 'Volgens Ties was dat mede omdat hij jullie zo miste.'
Even was het stil.
'Levercirrose. Is er een kans dat hij daaraan doodgaat?' vroeg Tim toen.
'Dat weet ik niet,' zei Aafke. 'Daar heb ik Tirza niet over gehoord, maar de officier zei ook al dat het ernstig was, dus...'
'Officier? Ik heb vast iets gemist,' zei Tim verbaasd.
'Van het Leger des Heils,' legde Aafke uit. 'Ik heb toch verteld dat Tirza en ik daar geweest zijn? Van haar hoorden we dat je vader ziek was en dat hij nog wel contact had met Ties, zijn andere zoon.'
'Die dus mijn halfbroer is,' constateerde Tim. Het verbaasde hem dat hij dat alles zo rustig kon aanhoren, zonder boos te worden, zonder de behoefte te hebben om weg te lopen.
Het verbaasde Aafke ook. 'Ja, inderdaad, dat is je halfbroer. Tirza en Trea hebben hem vorige week maandag ontmoet.'
'En, lijkt hij op mij?' vroeg Tim. Hij werd zowaar nieuwsgierig naar die halfbroer.
'Volgens Tirs niet zo, hij schijnt tengerder te zijn dan jij, meer zoals Tirs. Maar hij heeft wel hetzelfde lachje als jij, net als Stijn.'

'Hoe oud is hij en wat voor iemand is het? Wat doet hij bijvoorbeeld?'
Aafke lachte. Er gleed heel wat spanning van haar af nu ze gewoon met Tim over zijn vader en halfbroer kon praten. 'Hij is tweeëntwintig, studeert voor zilversmid, en Tirs en Trea kregen wel een positieve indruk van hem.'
Hm, zilversmid. Een creatief iemand dus. Eigenlijk best leuk.
'Ties,' zei hij toen, 'zo heet hij toch? Zijn naam begint ook al met een T. Zeker een ideetje van m'n vader.'
'Dat kan,' lachte Aafke. Toen werd ze weer ernstig. 'Het is nu dus wachten tot je vader aangeeft dat hij jullie wil zien. Dat hij dat aankan.'
'Jullie?' vroeg Tim. 'Ons, zul je bedoelen. Als ik naar hem toe ga, ga jij toch zeker wel mee?'
'Graag, natuurlijk. Als dat niet te druk is voor hem. Het zal toch wel een enerverende ontmoeting worden, na meer dan dertig jaar.'
Meer dan dertig jaar, dacht Tim. Een bijna onoverbrugbare periode. Zouden ze nog voldoende tijd krijgen om die in te halen? Als zoiets al in te halen was?

21

De volgende dag had Tim weer een afspraak met Lars.
'Hoe is het gegaan de afgelopen week?' vroeg Lars. 'Je ziet er ontspannen uit.'
'Zo voel ik me ook,' zei Tim. 'Ik heb gisteren een soort doorbraak gehad, denk ik.' Hij vertelde van zijn avontuur aan de slootkant en hoe rustig hij met Aafke over zijn vader had kunnen praten.
'Het klinkt inderdaad als een doorbraak,' zei Lars. 'Maar pas op dat je jezelf nu niet voorbijloopt door weer te snel te willen. Neem de tijd. We hebben hierna nog vijf of zes sessies, en er is nog genoeg om aan te werken.'
Daarna keek Lars samen met Tim terug op de afgelopen vijf weken, wat er gebeurd was, en wat er nog was blijven liggen. Toen werd het behandelplan aangepast voor de volgende vijf à zes weken.
Tim fietste langzaam terug naar huis. Het zat hem wat dwars dat Lars zo voorzichtig was geweest. Het ging nu toch weer een stuk beter met hem?
Hij zou vanmiddag een afspraak maken met Joost, kijken of hij morgen eens bij hem langs kon komen. Misschien konden ze alvast wat afspraken maken om weer langzaam terug te gaan werken.
Maar Joost bleek net zo voorzichtig als Lars. 'Weer gaan werken? Hoelang ben je nu thuis? Vanaf begin februari, en het is nu begin april. Da's nog maar twee maanden. Wat zegt de bedrijfsarts ervan? En je huisarts, en de psycholoog? Geloof mij nou maar, je moet echt je tijd nemen. Beter nu wat kalmer aan doen dan straks *in no time* weer in de ziektewet terechtkomen. Zo'n tweede keer duurt het vaak veel langer voor je daar weer bovenuit gekrabbeld bent.'
'Maar wie zegt dat er een tweede keer komt?' sputterde Tim tegen. 'Echt, ik voel me een stuk beter.'
'Maak eerst maar eens een afspraak met de bedrijfsarts, en kijk wat zij zegt,' vond Joost.
De bedrijfsarts ging na toestemming van Tim in overleg met Lars, en ook zij was van mening dat Tim te snel wilde. 'Wees blij dat je

werkgever je die tijd ook wil geven,' zei ze toen Tim wat geïrriteerd reageerde. 'Menig werkgever zou willen dat je gisteren alweer kwam werken.'
Toen Tim de week daarna bij Lars kwam, mopperde hij op al die voorzichtige mensen. 'Da's nergens voor nodig,' zei hij. 'Ik weet toch zeker zelf wel hoe ik me voel?'
'Ben je boos?' vroeg Lars.
'Nee, helemaal niet,' zei Tim, maar zijn gezichtsuitdrukking zei het tegenovergestelde.
'Wat voel je dan?'
Tim haalde zijn schouders op. 'Gewoon. Ik vraag me af wat ik hier nog doe. Het gaat toch goed met me?'
'Als ik je gezichtsuitdrukking zou interpreteren, zou ik zeggen dat je op mij overkomt als een mokkend kind dat zijn zin niet krijgt,' zei Lars.
Tim keek hem scherp aan. 'Hoezo?' zei hij fel.
'Kijk eens hoe je nu reageert.'
Het was alsof Lars hem letterlijk een spiegel voorhield en Tim zijn eigen gezicht zag. Hij schrok. Zo kon zijn moeder ook kijken.
'Sorry,' zei hij.
'Waarvoor?'
'Nou... dat ik zo doe.'
'Hoe doe je dan?'
'Nou... dat mokken.'
'Is dat erg dan, dat je sorry zegt?'
'Ja, anders zou je er toch niets van zeggen?' Weer voelde Tim irritatie. Wat wilde Lars nu? Hoe moest hij dan reageren?
'Ik constateer het alleen maar, ik heb niet gezegd dat ik het erg vind.'
'Ja, maar als je het niet erg zou vinden, zou je er toch niets van zeggen?'
'Dat is jouw invulling.' Lars leunde achterover. Toen vroeg hij: 'Hoe komt het dat je mokt?'
'Vertel jij het maar, jij bent hier de psycholoog,' maakte Tim zich ervan af.
'Dat is geen antwoord op mijn vraag.'
Tim voelde de weerstand in zijn lijf, voelde de ontevreden trek om zijn

mond. Hij schrok weer. Waarom reageerde hij zo kribbig?
'Hoe kan ik nu weten hoe ik moet reageren als jij niet duidelijk bent over wat dan wel goed is?' zei hij toen.
Lars hield hem weer een spiegel voor. 'Hoor je nu wat je zegt? Moet ik voor jou bepalen wat goed is?'
Moest Lars dat bepalen? Nee, natuurlijk niet. Waarom was het dan toch belangrijk voor hem wat Lars vond? Tim staarde in de verte, alsof daar het antwoord te vinden was.
Waarom stelde hij zich zo afhankelijk op van hoe een ander over hem dacht? Niet alleen van wat Lars vond, besefte hij, maar ook van Joost, van Hanneke, van buurman Marijn destijds, eigenlijk van iedereen die hij hoog had zitten.
Wat zocht hij dan bij hen? De bevestiging die hij van zijn moeder niet gekregen had? Maar dat punt was hij toch al gepasseerd? Daar had hij vorige week toch al mee afgerekend, toen aan de slootkant? En dan was het toch logisch dat hij bevestiging zocht bij anderen als hij geaccepteerd had dat zijn moeder hem dat niet kon geven? Een mens had toch bevestiging nodig?
Hij vroeg het aan Lars, maar die legde de vraag weer terug bij hemzelf. 'Hoe voelt het om van je bevestiging afhankelijk te zijn van anderen?'
Tim wist meteen het antwoord. 'Vermoeiend...'
Lars glimlachte. 'Precies!'
'Dus het is niet goed dat ik dat doe,' constateerde Tim nuchter.
'Daar zeg je het weer: 'niet goed'. Probeer 'goed' of 'niet goed' eens los te laten. Door zelf overal een etiket 'dus niet goed' op te plakken, wijs je jezelf af. Probeer de dingen gewoon te laten zijn zoals je ze ervaart. Het gaat er nu om dat je je er bewust van wordt hoe het werkt bij jou, en of je dat ook echt wilt.'
Tim dacht aan de opmerking van Hanneke: 'Heel het leven bestaat uit keuzes maken.' Zou het zo simpel zijn? Je bewust zijn van hoe het werkt bij jou en daar eventueel een andere keuze in maken?
'Is er een alternatief dan?' vroeg hij.
Weer legde Lars de vraag bij hem terug. 'Wat denk je zelf?'
Tim dacht aan Hannekes beeld van de rotonde en een andere afslag

willen nemen. Wat zou die andere afslag kunnen zijn? 'Meer vertrouwen hebben in mezelf?' vroeg hij aarzelend.
'Hoe voelt dat?'
'Dat ga ik proberen.'
'Ga je dat probéren?' Lars lachte er fijntjes bij.
Tim rechtte zijn schouders. 'Nee, dat ga ik dóén.'
'Afgesproken!' Lars maakte er een notitie van. 'Hoe is het in de afgelopen week gegaan?' vroeg hij toen. 'Is er al nieuws van je vader?'
'Nee, nog niet. M'n zus heeft al wel wat foto's gemaild naar mijn halfbroer, maar ik heb nog niet gehoord hoe m'n vader daarop gereageerd heeft.'
'Spannend, lijkt me,' zei Lars.
'Ja, best wel.'
'En je moeder, wat vindt zij van dit alles?'
'M'n moeder weet het nog niet.'
'O?'
'Nee.' Tim zei het wat nors.
'Welke reden hebben jullie om het haar nog niet te vertellen?' vroeg Lars.
'Nou...' Tim aarzelde even. 'We willen eerst met m'n vader gesproken hebben voor we het haar vertellen.' Hij merkte dat een akelig vertrouwd gevoel bezit begon te nemen van zijn maagstreek. Niet aan toegeven, het ging goed met hem!
'Hoe denk je dat ze zal reageren?'
Daar had Tim ook al over na lopen denken. 'Ze zal het waarschijnlijk niet prettig vinden.'
'En dan?'
'Dat zien we dan wel weer.' Tim probeerde het akelige gevoel weg te drukken door zich te concentreren op zijn ademhaling. Adem in, langzaam uit, adem in...
'Wat doe je nu?'
Tim merkte dat hij zijn vuisten gebald had. Hij voelde de spanning in zijn nek toenemen. Adem in, langzaam uit, adem in... Maar het leek wel alsof juist door zich te concentreren op zijn buikademhaling, dat

akelige gevoel in zijn maagstreek zich verplaatste naar zijn onderbuik. Tim schuifelde onrustig wat heen en weer.
'Laat het maar gebeuren, ik zit naast je,' hoorde hij de stem van Lars zacht zeggen.
Tim voelde het tintelen op zijn rug. Hij sloot zijn ogen, zijn schouders kromden zich. Laat het maar gebeuren, had Lars gezegd. Was dit dan zijn boosheid? Maar het voelde helemaal niet als boosheid. Het was een knagend, donker, dreigend gevoel, alsof iets in een donker hoekje klaar zat om hem te bespringen.
'Het lijkt wel of ik bang ben,' bracht hij met moeite uit. Het horen van zijn eigen stem bracht hem weer enigszins terug in de realiteit.
'Wat is er om bang voor te zijn?' hoorde hij Lars zeggen. 'Kijk eens naar je angst.'
Onwillekeurig begon Tim te bibberen. Kijk eens naar je angst? Lars had makkelijk praten!
Waar was hij bang voor? Hij zocht wanhopig in zijn geheugen. Waar hadden ze het 't laatst over gehad?
Dat zijn moeder het niet prettig zou vinden als ze zou horen dat hij weer contact zou krijgen met zijn vader.
Hij was bang dat zijn moeder boos zou worden.
Boos op hem.
En dat zij hem dan ook in de steek zou laten.
En dan had hij niemand meer.
Maar dat was de angst van dat jongetje van drie, daar zou hij nu toch geen last meer van moeten hebben? Hij had nu toch allerlei liefhebbende mensen om hem heen?
Dat besef verbaasde en ontnuchterde hem. De angst zakte langzaam weg, het bibberen stopte, zijn schouders ontspanden zich, zijn handen lagen open in zijn schoot.
'Ik was bang dat m'n moeder boos op me zou worden,' zei hij en hij vertelde tot welk besef hij gekomen was.
Lars knikte. 'Jij was toen een jongetje van drie dat niets van de situatie begreep. Als het gebeurd was als je een stuk ouder was geweest, een jaar of vijftien bijvoorbeeld, had je daar heel anders op gereageerd.'

Tim moest even nadenken over die opmerking. Hij probeerde zich voor te stellen dat hij vijftien was en dan bij een ruzie van zijn ouders was geweest.
Hij knikte. 'Dan was ik misschien ook wel weggelopen, maar ik was dan in elk geval niet zo bang geweest als toen.'
'Of misschien was je wel zo'n brutale puber geworden dat je mee was gaan schelden,' lachte Lars.
Tim lachte ook. 'Ik, een brutale puber die schold? Wie weet.' Dat was een nieuw gezichtspunt.
Lars maakte nog een aantekening en sloeg toen de map dicht. 'Het lijkt me wel weer genoeg voor vandaag. Volgende week, zelfde tijd?'

Aafke stond hem al op te wachten toen hij thuiskwam. 'Er is bericht van je vader,' zei ze. 'Tirza heeft gebeld.'
Tim merkte dat hij een spanning voelde opkomen, maar hij vocht er niet tegen. *Geef maar toe dat je gespannen bent*, zei hij tegen zichzelf. *Da's heel logisch in deze situatie. Laat het maar gebeuren.* De spanning ebde weer weg.
'En?' vroeg hij.
'Hij heeft gevraagd of jullie drieën aanstaande zaterdagmiddag bij hem op bezoek willen komen.'
Aanstaande zaterdagmiddag. Het kwam nu wel heel dichtbij. 'Alleen wij drieën?'
Aafke knikte. 'Ik kan me dat ook wel voorstellen. Jullie hebben elkaar dertig jaar niet gezien, dan moeten we hem niet overvallen met een heleboel mensen tegelijk. Dat komt later wel.'
Aanstaande zaterdag. Tim leunde achterover. 'Hoe laat moeten we er zijn, en waar?'
Aafke noemde hem de naam van het ziekenhuis in Rotterdam waar zijn vader lag. 'Tirza stelde voor dat zij en jij afspreken bij Trea, dan kunnen jullie daarvandaan samen naar het ziekenhuis gaan. Ties wacht dan in de hal van het ziekenhuis op jullie. Het bezoekuur is van drie tot vier.'
Tim kreeg een gespannen gevoel in zijn buik. Over twee dagen zou hij

zijn vader ontmoeten!
Aafke zag het aan zijn gezicht. 'Vind je 't spannend?'
Tim knikte. 'Best wel.'
'Ik denk hij zelf ook.'
'Heb je nog gehoord hoe het met hem ging?'
'Ja, het gaat nog steeds niet zo goed. Maar hij wilde niet langer wachten, had Ties gezegd.'
Ties. De onbekende halfbroer. Die ging hij zaterdag ook zien. Wat voor iemand zou het zijn?

Zaterdagochtend ging Tim met de trein naar Rotterdam, waar Tirza hem van het station haalde. Samen reden ze naar Trea's appartement, dat even buiten Rotterdam lag. Johan deed open.
'Ha zwager,' begroette hij Tim en hij schudde hem de hand. 'Tijd niet gezien. Hoe is het met je?'
'Goed, hoor. En met jou? Heb je nog exposities lopen?'
'Nee, op het moment niet, maar ik ben weer flink aan 't schilderen.'
'Ik zie het,' zei Tim. In de gang en de woonkamer hingen schilderijen die hij nog niet eerder gezien had. Trea's appartement hing altijd vol met Johans werken.
Tim bleef voor een van de schilderijen staan. 'Dat vind ik een mooie,' zei hij bewonderend. Johan schilderde meestal abstract. Het schilderij had ronde lijnen, zowel scherpe als onscherpe, en was voornamelijk in paars en turkoois gehouden, met af en toe een lichte vlek, alsof de zon erop scheen.
Johan knikte. 'Ja, ik heb een hele serie gemaakt, maar Trea vond deze het mooist.'
'Dat kan ik me voorstellen. Ik snap niet hoe je dat kunt, ik ben helemaal niet creatief.'
'Ieder mens kan schilderen,' was Johan van mening.
'Ja, dat zeg jij, maar ik waag me er maar niet aan. Onze familie is helemaal niet creatief,' zei Tim lachend, maar terwijl hij het zei, bedacht hij dat hij daar eigenlijk niets van wist. De familie van zijn vaders kant was immers buiten beeld. En Ties had uiteindelijk ook een creatief beroep.

Hij werd steeds nieuwsgieriger naar die halfbroer.
Tirza en Trea waren al druk in een gesprek gewikkeld. Ze waren allebei zichtbaar gespannen voor het aanstaande bezoek.
'Willen jullie nog koffie of thee voor jullie naar het ziekenhuis gaan?' vroeg Johan.
Maar ze schudden alle drie hun hoofd. 'Ik kan op dit moment geen hap of slok door m'n keel krijgen,' zuchtte Tirza.
Even later vertrokken ze in Trea's ruime auto naar het ziekenhuis. Het was druk onderweg en het leek wel of ze alle verkeerslichten tegen hadden. Tegen drieën reden ze het parkeerterrein van het ziekenhuis op. Ook daar was het druk, maar het lukte Trea een parkeerplek te vinden.
Tirza stak in bij Trea en Tim en gearmd liepen ze naar de ingang. Daar stond een lange, slanke man te wachten. Ties.
Hij zag hen al aankomen. Ook hij zag er gespannen uit. Trea en Tirza kregen een lichte kus op hun wang, daarna stak Ties zijn hand uit naar Tim. 'Ties Peters.'
'Tim Peters.' Vreemd, dacht Tim, maar ja, natuurlijk had Ties dezelfde achternaam als hij. Dat had hij zich niet eerder zo bewust gerealiseerd. De beide mannen namen elkaar op. Toen begon Ties met een scheef lachje te grinniken. 'Tirza had al gezegd dat we niet op elkaar leken, maar ik was toch erg nieuwsgierig naar je. Dat ben ik eigenlijk van kinds af aan geweest. Ik was enig kind, maar ik heb altijd een grote broer willen hebben, en de wetenschap dat ik die al had en dat die ergens rondliep... En nu staan we hier dan tegenover elkaar.'
Trea keek naar beide mannen. 'Nu ik jullie zo naast elkaar zie staan, zie ik toch wel overeenkomsten. Vind je niet, Tirs? Datzelfde lachje, maar ook de ogen en de mond.'
'Ja, maar Tim is veel steviger, die heeft meer jouw bouw.'
'Nou, geen idee van wie we dat hebben, want ma is ook slank.' Ze keek vragend naar Ties. 'Lijk jij op je vader?'
Ties knikte. 'Qua bouw wel, hij is ook slank. Of slank... eerder mager. Maar dat zul je zo wel zien. Zullen we maar naar hem toe gaan? Ik ben net al even bij hem wezen kijken, hij is erg zenuwachtig.'

Ties ging hun voor naar de afdeling op de tweede verdieping waar Mat Peters lag. Tirza stak haar arm door die van Tim en vroeg: 'Vind jij het ook zo spannend?'
Tim knikte alleen maar. Zometeen zou hij zijn vader ontmoeten. Het was bijna niet voor te stellen. Hoe oud was zijn vader nu? Ergens rond de zestig, ongeveer zo oud als buurman Marijn was toen hij overleed. Hoe zag die er toen ook alweer uit? Zou hij in zijn vader ook trekken van zichzelf terugzien? En wat moest hij nu zeggen straks? Ha die pa? Dag Mat? Hoe noemde je je vader als je die dertig jaar niet gezien had?
Ties liep hun voor een tweepersoonskamer in. Bij het raam zat een man in een rolstoel. Het andere bed was leeg, dus die man moest z'n vader zijn.
Mat Peters had een mager gezicht, lange, slanke handen, schonkige schouders. Hij zag eruit als een man van in de zeventig en hij had een rand van dun, grijs haar en een korte grijze baard. Zijn huid was gelig, wat hem er nog slechter deed uitzien. Zijn helderblauwe ogen waren waterig en keken hen onzeker aan.
'Dag kinderen...' Het kwam eruit als een zucht.
Even bleven ze staan, niet wetend wat te doen. Toen liep Tirza als eerste op hem af en omarmde hem. Mat tilde zijn handen op alsof hij van plan was haar ook te omarmen, maar zijn handen bleven even zweven in de lucht en zonken toen weer terug op de plaid die over zijn benen lag.
Tim moest ineens denken aan het beeld van de vader en de verloren zoon. In dat beeld had de vader de zoon die terugkwam ook niet omarmd, terwijl de zoon wel zijn armen om zijn vader heen geslagen had.
Tirza kwam weer overeind, ze had tranen in haar ogen. Ze pakte de hand van Mat en gaf er een kus op. Toen stapte ze opzij en keek naar Trea en Tim.
Trea was de volgende die naar voren stapte. Ze stak haar hand uit en zei: 'Dag pa, herkent u me nog?'
Mat pakte de hand en drukte die even. 'Trea. Je bent groot geworden, letterlijk...' Zijn stem klonk schor.

Toen keek hij naar Tim. Tim leek als aan de grond genageld. Hij staarde naar de man die zo lang geleden uit zijn leven verdwenen was. Hij zocht naar tekenen van herkenning. Was dit dezelfde man die op zijn netvlies gebrand stond sinds hij hem als jongetje van drie weg had zien gaan? Was die grote, sterke, boze vader van toen dezelfde als deze zieke, broze man hier in de kamer?
Hij wilde een stap naar voren doen, maar zijn benen leken te weigeren. Hij stond daar maar te staren. De anderen zeiden niets en keken naar de beide mannen. Op de achtergrond klonk geroezemoes en er waren voetstappen op de gang.
Toen stak Mat een magere, bevende hand uit. 'Dag Tim, kan ik een hand van je krijgen?'
Er brak iets in Tim. Deze man was zijn vader. Deze man was ooit met zijn moeder getrouwd en had samen met haar drie kinderen gekregen. Deze man was meer dan dertig jaar geleden uit hun leven verdwenen, alsof hij nooit bestaan had. Maar het bleef zijn vader. Zonder deze man was hij er zelf nooit geweest. Dan had hij Aafke nooit leren kennen. Dan hadden Lisanne en Stijn nooit bestaan...
Hij zag dat Mat zijn hand aarzelend teruglegde op zijn schoot, maar hij bleef naar Tim kijken met een treurige uitdrukking op zijn gezicht.
Toen deed Tim plotseling een stap naar voren. Hij boog zich voorover en sloeg zijn armen om de magere schouders van zijn vader. Hij draaide zijn hoofd opzij en legde even zijn wang op het hoofd van zijn vader. Toen stond hij weer op. Hij zei nog steeds niets.
Ties doorbrak de stilte. 'Zullen we naar het restaurant gaan om daar wat te gaan drinken, of willen jullie liever hier blijven?'
'Laten we maar hier blijven, het is hier rustiger dan in het restaurant, lijkt mij,' zei Tirza.
Mat knikte. 'Ja, liever hier blijven.'
'Zal ik dan koffie en thee halen?' stelde Ties voor. 'In de hal staat een automaat.'
Tim en Trea wilden koffie, Tirza had liever thee, en Mat hoefde niets. Ties vertrok, terwijl Trea wat stoelen bijschoof.
Tirza ging naast Mat zitten en pakte zijn hand. 'Hoe is het nu met u?'

‘Niet zo best,’ zei Mat. ‘Ik ben maar zo moe, het eten smaakt me niet en ik ben vaak misselijk. Nee, het gaat niet zo best met me.’
‘Heeft u pijn?’ vroeg Trea.
‘Ja, aan m’n handen en voeten, en in mijn buik zit het ook niet lekker.’ Hij tilde de plaid een stukje op. ‘Mijn buik is helemaal opgezet.’ Hij zuchtte. ‘Ik kan niet meer beter worden. Daarom wilde ik jullie graag zien, voordat het te laat is.’ Hij keek hen stuk voor stuk aan, alsof hij zich ervan wilde vergewissen dat ze er echt zaten. ‘Ik was zo blij dat ik van Ties hoorde dat jullie naar me op zoek waren gegaan. Ik had dat zelf nooit gedurfd.’
Tim beet op zijn lip. Moest hij nu vertellen dat het van hem niet gehoeven had, dat alleen Tirza de zoektocht ingezet had? Toch maar niet doen, dat kwam later wel. De man leek zo blij dat hij hen weer zag. Hij zocht naar woorden. Wat zeg je nu tegen iemand die je dertig jaar niet gezien hebt?
‘Weet u dat u ook al opa bent?’ Hij moest toch wat zeggen.
‘O ja?’ Blijkbaar had Ties dat nog niet verteld, of Mat was het alweer vergeten.
Tim was blij een gespreksonderwerp te hebben. Hij pakte zijn portemonnee en zocht naar foto’s. ‘Kijk, dit zijn mijn kinderen. Ik heb een dochter van vier, zij heet Lisanne, en een zoon van ruim een halfjaar, hij heet Stijn. En dit is mijn vrouw Aafke.’
Mat pakte de foto’s aan en bekeek ze. ‘Zo zo, ik ben al opa.’
Tirza zocht in haar tas. ‘Ja, en u heeft nóg een kleinzoon. Kijk, dit is ’m, hij heet Gertjan en hij is bijna negen maanden. En dat is Hans, mijn man.’
‘En jij?’ vroeg Mat aan Trea.
Die schudde haar hoofd. ‘Nee, ik heb geen kinderen. Wel twee stiefkinderen, de kinderen van mijn partner Johan. Dat maakt mij dus een stiefmoeder, maar dat vind ik zo’n vervelend woord, dat roept allerlei beelden op van een liefdeloos mens met een vergiftigde appel en zo.’ Ze lachte. ‘Binnenkort wordt Johan voor het eerst opa, en we hebben al zitten te bedenken wat dat mij dan maakt. Een stiefoma? Johans dochter had al een woordgrapje bedacht: we noemen je wel stoma...’

Ties kwam binnen met een blad met daarop bekers koffie en thee. 'Suiker en melk moeten jullie er zelf maar in doen.'
'Ik hoef er niets in,' zei Tim.
'Net als ik,' zei Ties. 'Weer een overeenkomst dus.'
Ze zaten een poosje gezellig bij elkaar. Tirza vertelde over het bedrijf van Hans, en leuke voorvalletjes over Gertjan. Af en toe viel Trea haar bij. Tim had niet zo'n behoefte om te praten en ook Ties liet het aan de dames over om de conversatie op gang te houden.
Mat knikte af en toe, als teken dat hij luisterde, maar hij leek er niet helemaal met zijn gedachten bij. Na een tijdje merkte Ties op: 'Pa, u wordt moe, hè?'
Mat sloot zijn ogen even en knikte. 'Ja. Ik wil graag naar bed.'
Ze stonden allemaal tegelijk op. 'Dan gaan we maar,' zei Tirza. 'Mogen we nog eens terugkomen?'
Mat tilde vermoeid zijn hoofd naar haar op. 'Graag, kind. Graag.'
Bij het afscheid gaf Trea weer een hand. Tirza omhelsde haar vader en ook Ties sloeg even zijn armen om Mat heen. Tim pakte de hand van Mat in zijn beide handen en drukte die zacht. 'Dag.'
Toen hij wegliep, realiseerde hij zich dat hij noch 'pa', noch 'Mat' gezegd had. Nou ja, dat kwam misschien wel een keer. Als ze die tijd nog kregen.

22

TERWIJL ZE NAAR DE UITGANG LIEPEN, VROEG TIES: 'ZULLEN WE NOG EVEN naar het restaurant gaan? Om nader kennis met elkaar te maken? Of ging het jullie alleen om pa?'

Tirza keek naar Trea en Tim. 'Ik wil dat wel, en ik heb tegen Hans gezegd dat ik geen idee heb hoe laat ik thuis ben, dus die zit niet te wachten.'

Trea knikte toestemmend, maar Tim keek wat bedenkelijk. 'Ik wil je best nader leren kennen, maar ik ben eigenlijk bekaf en wil graag naar huis. Ik loop in de ziektewet, weet je,' legde hij uit aan Ties. 'M'n energie is nog niet helemaal op peil, en dit bezoek heeft me best wel aangegrepen.'

Ties knikte. 'Ik begrijp het. Maar kunnen we dan wel alvast een volgende afspraak maken?'

'Misschien dan met onze partners erbij?' vroeg Tirza. 'Tenminste, als dat niet te druk is. Ik wil Hans ook graag voorstellen aan pa.'

Ze keek Ties aan. 'Ik had jou toch foto's gemaild van ons allemaal?'

'Ja,' zei Ties. 'Die heb ik geprint en aan pa laten zien. Ze liggen in zijn laatje.'

'Maar hij leek niet te weten dat hij kleinkinderen had,' verbaasde Tirza zich hardop.

'Dat komt omdat zijn hersenen waarschijnlijk ook beschadigd zijn. Je kon ook merken dat hij wat afwezig was. Van het verleden weet hij nog alles, maar zijn kortetermijngeheugen werkt niet altijd even goed.'

'Weet hij de volgende keer dan nog wel dat we geweest zijn?' vroeg Trea, praktisch als altijd.

Ties knikte. 'Dat denk ik wel. We hebben het er de laatste paar keer steeds over gehad en je kon aan hem zien dat hij jullie vandaag ook verwachtte. Maar jullie partners en kinderen hebben tot nu toe geen rol gespeeld in zijn leven, dat is voor hem moeilijker vast te houden.'

'Dat begrijp ik,' zei Trea.

Tim aarzelde even, maar zei toen toch: 'Ties, mag ik nog één ding aan je vragen?'
'Tuurlijk, altijd,' antwoordde Ties. 'Wat wil je weten?'
'Ik begreep van mijn vrouw Aafke dat in het gesprek dat jij al eerder met Trea en Tirza hebt gehad, jij verteld hebt dat... dat je vader ons zo miste, en dat jij altijd geweten hebt van ons bestaan. Klopt dat?'
'Ja, hoezo?' vroeg Ties verbaasd.
'Of zeg je dat om zijn gedrag goed te praten?' Tim moest het vragen.
Ties schudde beslist zijn hoofd. 'Nee, echt niet. Hoor eens, mijn vader heeft een hoop fouten gemaakt in zijn leven en ik zal de eerste zijn die dat zal erkennen, maar het was niet zijn eigen keuze dat hij geen contact meer had met jullie. Tenminste, zo heeft hij dat altijd aan mij verteld. Jullie wilden hem zelf niet meer zien, had zijn ex hem gezegd. Hij had er erg last van dat hij jullie niet meer zag, dat kon ik altijd aan hem merken. Het gaf mij soms het akelige gevoel dat mijn aanwezigheid niet voldoende voor hem was. Het gemis van jullie stond altijd op de voorgrond.'
Hij lachte wat grimmig naar Tim. 'Hij vergeleek mij soms met jou, weet je. Soms zei hij: 'Ik weet zeker dat mijn andere zoon dat wel goed gedaan zou hebben', als ik iets verkeerd gedaan had. Als kind had ik jou daarom wel kunnen wurgen als ik je toen tegengekomen was. Pas later, toen hij niet meer bij ons woonde en ik hem maar onregelmatig zag, merkte ik dat hij telkens blij was om me te zien, en had hij het niet meer over jou.'
Ze maakten een nieuwe afspraak voor de volgende zaterdagmiddag. 'Laten we dan vooraf telefonisch of via de mail overleggen of het dan verstandig is om jullie partners en kinderen mee te brengen. Ik ga de komende donderdag nog een keer op bezoek, dan kan ik op dat moment wel inschatten of dat zaterdag haalbaar is. Goed?' vroeg Ties.
Daar konden ze zich allemaal in vinden. Daarna namen ze afscheid van Ties. Tirza en Trea kregen weer een kus, en Tim kreeg een ferme hand en een klap op zijn schouder. 'Dag... broer...'
Zwijgend liepen ze naar de auto. Pas toen ze weer in de auto zaten, zei Trea: 'Ik ga het haar gewoon vragen.'

Tirza begreep meteen wat ze bedoelde. 'En als ze nu zegt dat hij dat liegt? Dan is het haar woord tegen het zijne.'
'Ik weet nog niet hoe ik het ga doen, maar ik zal de waarheid boven tafel krijgen,' zei Trea grimmig.
Tim liet het maar voor wat het was en bemoeide zich er niet mee. Wat had het nu nog voor zin om te ontdekken of zijn moeder wel of niet hun vader voor hen weggehouden had? Feit was dat ze elkaar meer dan dertig jaar niet gezien hadden. Een tijd die onoverbrugbaar leek.
Hij keek uit het raampje en dacht terug aan die breekbare man met dat magere gezicht en die verrassend helderblauwe ogen. De kleur van Lisannes ogen...
'Zal ik je naar het station brengen, of ga je nog even mee naar mijn huis?' vroeg Trea.
Tim schrok op uit zijn gedachten. 'Breng me maar naar het station, als jullie het niet erg vinden.'
'En als we het wel erg vinden?' vroeg Tirza. Maar toen lachte ze. 'Nee hoor, ik maak maar een grapje. Jammer, maar ik snap dat je naar huis wilt. Ik bel van de week nog wel. Ik ben benieuwd naar je eerste indruk.'
Toen Tim eenmaal in de trein zat, voelde hij pas echt hoe moe hij was. Zoveel indrukken. Zoveel gedachten. Zoveel gevoelens. Onbenoembaar maar aanwezig. Ze bestonden naast elkaar in zijn hoofd en in zijn lijf. Hij voelde zich vol en leeg tegelijk.
Vandaag had hij zijn vader na dertig jaar weer ontmoet. Wat was zijn eerste indruk? Hij wist het zelf niet eens.

Aafke was in de keuken aan het strijken toen hij binnenkwam. Ze trok meteen de stekker uit het stopcontact en zette het strijkijzer op het aanrecht. 'En, hoe was het?'
Tim zakte op de bank neer. 'Veel.'
Aafke kwam naast hem zitten. Lisanne was aan het spelen met haar pop. 'Papa, kijk eens, mama heeft een slaapzak gemaakt voor Baby. Mooi hè?'

‘Prachtig,’ zei Tim werktuiglijk zonder te kijken.
‘En we hebben koekjes gebakken voor morgen, en ik heb geholpt. En ze zijn hééééł lekker.’
‘Dat is fijn.’ Tim zou zo kunnen slapen.
‘En ik heb er al eentje geproefd. Wil jij er ook eentje proeven?’
‘Laat papa maar even, schat,’ zei Aafke, die zag dat het Tim allemaal wat te veel was. ‘Papa is een beetje moe.’
‘O. Moet papa dan ook naar het ziekenhuis?’ Ze huppelde naar Tim toe en keek hem met haar blauwe ogen trouwhartig aan. ‘Heb je ook pijn in je buik, papa?’
‘Nee hoor, meisje,’ antwoordde Aafke voor Tim. ‘Papa heeft geen pijn in zijn buik. Papa is alleen een beetje verdrietig.’
‘Zal ik je dan een kusje geven?’ vroeg Lisanne.
Tim keek naar zijn dochtertje, zag de kleur ogen die hij eerder die dag ook gezien had. Alleen keken de ogen van Lisanne open en fris de wereld in en waren die andere ogen waterig en moe. De ogen van een afgeleefde, oude, breekbare man.
‘Hij is oud,’ zei hij tegen Aafke. ‘Oud en moe.’
Aafke zei niets, maar ze pakte zijn hand en drukte die even.
Tim keek haar aan. ‘Ik heb hem omarmd,’ zei hij toen. ‘Zomaar. Hij was zo breekbaar.’
‘Goed van je,’ zei Aafke.
Lisanne ging maar weer spelen. Papa hoefde zeker geen kusje van haar. Hij keek alleen maar naar mama.

Pas ’s avonds op bed vertelde Tim hoe het vandaag gegaan was, ook de kennismaking met Ties. Hij vertelde alleen niet dat Trea hun moeder ter verantwoording wilde gaan roepen. Hij vroeg zich nog steeds af wat dat voor zin had en hoopte achteraf dat Trea zich nog zou bedenken.
Wel vertelde hij van de afspraak die ze met Ties gemaakt hadden over een volgend bezoek, eventueel met de partners en de kinderen erbij.
‘Ik hoop dat het door kan gaan. Ik ben zelf ook wel benieuwd. Niet alleen naar je vader, maar ook naar Ties,’ zei Aafke. Ze lag in het

holletje van zijn arm.
'Weet je dat ik heel blij met je ben?' zei Tim en hij drukte haar tegen zich aan.
'Dat komt dan goed uit, want ik ben ook heel blij met jou,' zei Aafke. Toen zei ze: 'Het is me opgevallen dat je de laatste weken helemaal geen aanvallen van hyperventilatie gehad hebt. Ondanks dat het toch allemaal best heftig was de laatste tijd.'
'Je hebt gelijk.' Tim was er zelf verbaasd over dat het hem niet eens opgevallen was. Dat gevoel van pijn aan de slootkant, en dat van angst bij Lars, was van een andere orde dan de verstikkende benauwdheid die hem overviel bij een aanval van hyperventilatie. Was hij zo druk bezig geweest met andere dingen? Of kwam het omdat hij niet langer vocht tegen zichzelf, maar alles liet zijn zoals het was?
'Fijn toch? Vast een teken dat het nu echt bergopwaarts gaat.' Aafke lachte hardop.
'Lars zou zeggen: juich niet te vroeg,' grijnsde Tim nu ook. Hij kietelde haar even. 'Ben je me nog niet beu? Alle dagen maar je man om je heen?'
'Er moet heel wat gebeuren voor ik jou beu word.' Aafke kuste hem. 'Probeer het maar eens...'
Meer aanmoediging had Tim niet nodig.

Woensdagmiddag belde Trea. 'Kan ik vanavond bij jullie langskomen?' vroeg ze.
'Natuurlijk, we zijn gewoon thuis,' zei Tim. Hij vroeg zich af wat ze kwam doen en een akelig gevoel bekroop hem.
'Tirza en ik zijn gisteravond bij moeder geweest en ik heb het haar op de man af gevraagd,' viel Trea met de deur in huis toen ze 's avonds bij elkaar zaten. 'Of dus eigenlijk op de vrouw af.'
Aafke keek naar Tim. Waar had Trea het over?
Tim wilde tegelijkertijd wel en niet weten wat Trea kwam vertellen. Hij zag Aafke kijken en zei tegen Trea: 'Ik heb het Aafke nog niet verteld.'
'O?' Trea leek niet eens verbaasd. Ze wendde zich tot Aafke. 'We

hadden van Ties gehoord dat hij altijd heeft geweten van ons bestaan, en dat pa regelmatig had laten merken dat hij ons miste.'
Aafke knikte. Dat had ze al eerder van Tirza gehoord.
Trea ging verder. 'Tim heeft zaterdag nog eens gevraagd of dat wel klopte, en Ties bevestigde dat. Hij vertelde dat pa wel contact wilde, maar dat moeder dat steeds tegenhield, en dat ze zelfs beweerd had dat wíj hem niet meer wilden zien. Dus zijn Tirza en ik gisteravond naar moeder geweest om haar daarmee te confronteren. Want zoals je wel zult weten, heeft zij altijd gezegd dat pa nooit naar ons omgekeken heeft.'
Aafke keek naar Tim. Wist Tim dat Trea dat van plan was geweest? Waarom had hij haar daar niets van verteld? 'En, hoe reageerde ze?' vroeg ze, toch nieuwsgierig.
'We vroegen haar of het wel klopte dat onze vader nooit contact met ons gezocht had. Ze bleef eerst heel rustig, bijna koel, je weet hoe ze kan doen. Maar toen ze hoorde dat wij inmiddels contact met pa gehad hadden, werd ze ineens heel fel. Ze verweet hem dat hij loog, dat hij haar haar kinderen af wilde pakken, dat hij nooit betrouwbaar geweest was, dat híj degene was die ontrouw geweest was, niet zij, en dat zij altijd voor ons gezorgd had, afijn, van alles werd erbij gehaald. Tirza en ik kregen er geen speld tussen.'
Tim wist niet of hij het nog wel verder wilde horen, maar Aafke zag het voor zich. 'En toen?' vroeg ze.
'We hebben haar eerst uit laten razen, alsof we dat met elkaar afgesproken hadden. En toen ze niets meer zei, vroeg ik het weer: 'Moeder, ik vraag het nog maar een keer. Is het waar dat pa nooit contact met ons gezocht heeft?' Ik bleef haar rustig aankijken. Het was heel raar, maar het was net alsof ik het niet tegen m'n moeder had, maar tegen een medewerker die ik op het matje riep. Ik weet dat ik dan heel autoritair over kan komen. Blijkbaar voelde ze dat ook, want toen kreeg ík de volle laag. Wat ik wel niet in m'n hoofd haalde om haar, mijn eigen moeder nota bene, ter verantwoording te roepen. Mijn eigen moeder, die zich volkomen voor ons opgeofferd had, die het altijd alleen had moeten doen, sinds ze door haar man in de

steek was gelaten. Hoe haalde ik het in m'n hoofd. Ik had te veel fantasie, het was me in m'n bol geslagen, en Johan werd er zelfs nog bij gehaald. Alsof die arme schat er wat aan kon doen.

Afijn, ze dimde weer een beetje, maar ik bleef kijken. En toen versprak ze zich. Ze zei dat ze het goed bedoeld had... 'Wat heeft u goed bedoeld?' vroeg ik toen. En toen zakte ze ineens als een plumpudding in elkaar en ging zitten huilen. Dat vond ik nog erger dan die grote mond die ik kreeg, wil je dat wel geloven?

Ik denk dat ze er altijd bang voor is geweest dat we erachter zouden komen, en dat het haar gek genoeg opluchtte dat we het nu wisten. Toen ze uitgehuild was, zei ze dat we haar nu wel zouden haten. Ik zei dat ik haar niet haatte, maar dat ik het wel jammer vond, niet alleen voor pa, maar ook voor ons. Dat de tijd niet meer terug te draaien was, helaas, maar dat ik blij was dat we dit niet pas na pa's dood te horen gekregen hadden. Ik heb haar toen verteld dat pa ernstig ziek is en mogelijk niet lang meer te leven heeft. Toen schrok ze toch wel.

Tirza had al die tijd nog niets gezegd, maar toen het even stil was, zei ze langzaam: 'Ik weet niet of ik wel zo vergevensgezind ben als Trea. Daar moet ik eens over nadenken. U heeft mij wel mijn vader afgenomen.' En toen we weggingen, gaf ze moeder geen kus, zei alleen maar 'dag'. Ze wilde met mij niet meer napraten, vroeg alleen maar of ik jullie wilde inlichten, en ging daarna meteen naar huis. Ik heb er wel een akelig gevoel over. Ik heb vandaag nog geprobeerd te bellen, maar ze neemt niet op. Misschien dat jij eens kunt bellen, Tim? Jullie hadden altijd een goede band met elkaar.'

'Ik weet zelf ook niet precies wat ik moet denken van je verhaal,' zei Tim. 'Ik wist niet eens zeker of ik het wel wilde horen. Ik bedoel... wat heeft het voor zin om dit te weten? We kunnen de tijd toch niet terugdraaien? Moeder en ik hadden al niet zo'n beste relatie, dit doet er natuurlijk nog minder goed aan.' Hij keek naar Aafke. 'Wat vind jij ervan?'

Tja, wat vond zij ervan? Enerzijds verbaasde het haar niets dat haar schoonmoeder een dergelijke truc uitgehaald had. Zo koud en bere-

kenend kon een mens blijkbaar zijn. Anderzijds was dit weten nu niet echt bevorderlijk voor de relatie, voor zover je van een relatie kon spreken tussen haar en haar schoonmoeder. Ze voelde bijna medelijden met het mens. Ze had die leugen misschien wel volgehouden omdat ze bang was dat haar kinderen voor haar man zouden kiezen, maar door die leugen raakte ze haar kinderen misschien wel juist kwijt.
'Dit zal allemaal eerst moeten zakken bij iedereen,' zei ze daarom, in het midden latend wat zij van de hele situatie dacht. 'Laten we eerst zaterdag maar eens afwachten, dat is al spannend genoeg.'

De dag daarna had Tim weer een afspraak bij Lars. Hij was er blij om, had de halve nacht wakker gelegen en nagedacht over z'n moeder.
'Hoe is het gegaan de afgelopen week?' stelde Lars de gebruikelijke vraag.
'Er is een hoop gebeurd,' zei Tim. 'Ik heb m'n vader ontmoet...'
'O? Dat is onverwacht nieuws. Vertel eens?' zei Lars verbaasd.
Tim vertelde hem over de afgelopen zaterdag en ging daarna meteen door met het verhaal van Trea. 'En dus heb ik weer de halve nacht wakker gelegen,' besloot hij zijn verhaal. 'Maar er is ook goed nieuws,' schoot hem weer te binnen. 'Ik heb al een tijdje geen last meer van die aanvallen van hyperventilatie. Terwijl er toch een hoop gebeurt.'
'Nou, laten we hopen dat die aanvallen nu voorgoed tot het verleden behoren,' zei Lars. 'Maar om even terug te komen op dat verhaal over je moeder: wat vind je daarvan?'
Tim staarde voor zich uit. 'Het voelt allemaal wat dubbel,' zei Tim. 'Eigenlijk had ik dit helemaal niet willen weten. Wat heeft het voor zin? We kunnen de tijd toch niet terugdraaien.'
'Maar...'
'Maar ik voel ook boosheid, net als m'n jongste zus. Zij heeft voor ons beslist dat we onze vader niet wilden zien. Ze heeft daarover gelogen tegen m'n vader. En ze heeft ons daarmee uiteindelijk onze vader afgepakt!'

‘En hoe uit die boosheid zich?’ vroeg Lars.
Tim snoof. ‘Hoe moet ik dat nu uiten? En tegen wie? Tegen Aafke of de kinderen? Die kunnen er toch niets aan doen?’
‘En tegen je moeder?’
Tim snoof nu nog luidruchtiger. ‘Tegen m’n moeder? Die hoef ik voorlopig niet te zien.’
‘En wat doe je dan weer met je boosheid?’ vroeg Lars toen. ‘Denk eens aan een paar weken geleden, wat je toen zei?’
Tim dacht even na. ‘Dan ga ik het weer uit de weg,’ zei hij moedeloos. ‘Maar wat moet ik dan? Naar haar toe gaan en haar de huid vol schelden? Dat haalt toch ook niets uit?’
‘Stel dat je moeder nu hier in de kamer zat, in die stoel daar, bij het raam, wat zou je dan tegen haar willen zeggen?’
Tim keek naar de stoel die Lars aangewezen had. Hij zag daar als het ware zijn moeder zitten. Rechtop, haar benen netjes naast elkaar in de keurige schoenen. Haar haar perfect in model, geen haartje verkeerd. Haar handen gevouwen in haar schoot. Haar lippen samengeknepen, een verbitterde trek om haar mond. Hij herinnerde zich de brief die hij aan haar geschreven had, die hij nooit had mogen voorlezen aan Lars. Al die dingen die erin gestaan hadden die hem zo dwarsgezeten hadden, die hem soms nóg dwarszaten.
Hij sloot zijn ogen en voelde hoe de woede bezit van hem nam. Nee, geen angst meer. Hij was geen klein, afhankelijk jongetje meer. De woede vulde zijn lijf, trok naar zijn armen. Hij zou haar willen slaan, willen schoppen, willen toeschreeuwen! Hij wrong het met moeite uit zijn keel. ‘Dat... dat rótmens!’
Hij hoorde nu te schrikken van zichzelf en het woord terug te nemen. Maar hij deed het niet. Hij balde zijn vuisten en kromde zijn armen. ‘Dat rótmens,’ zei hij nog eens.
Wonderlijk genoeg luchtte het hem op. De woede zakte, zijn armen en handen ontspanden zich.
‘Kijk eens naar je moeder. Wat zie je nu?’ vroeg Lars.
Tim keek naar de stoel. Hij zag weer zijn moeder zitten. In elkaar gedoken, haar hoofd voorover, haar schouders gebogen, haar armen

voor haar borst gekruist. Schuldbewust.
'Ze lijkt zich te schamen...' Het kwam eruit als een zucht. Tim keek verdrietig.
'Wat voel je nu?'
'Ik voel verdriet. Om zoveel verloren jaren. Om de liefde die ik gemist heb. Had ze maar eens gezegd dat ze van me hield. Had ze me maar eens geknuffeld. Ik heb daar zo naar verlangd...' Hij snikte het uit. Dit keer was het geen geluidloos snikken, maar een bevrijdend huilen om het verlangen dat geweest was en nooit vervuld was.

23

DIE ZATERDAG STONDEN ZE MET Z'N ALLEN IN DE HAL VAN HET ZIEKENhuis. Ties had donderdagavond gebeld dat ze allemaal wel mochten komen, maar dat ze dan in etappes bij Mat op bezoek moesten gaan, anders werd het veel te druk voor hem. 'De rest kan dan in het restaurant wachten, het lijkt me fijn om iedereen te leren kennen.'

Ze liepen naar het restaurant, terwijl Trea en Johan als eersten naar de afdeling gingen. Nadat ze wat te drinken gehaald hadden, maakte Ties nader kennis met Aafke, Hans en de kinderen.

Aafke kreeg meteen een goede indruk van Ties. Hij leek meer op Tim dan ze verwacht had, zelfs een buitenstaander kon zien dat ze familie waren. En hij had inderdaad hetzelfde scheve lachje als Tim, een lachje dat Stijn ook had.

Ze zag hoe Tim en Ties eerst wat aftastend met elkaar omgingen, maar dat het gesprek steeds vlotter verliep. Tirza zat er met glimmende ogen naar te kijken. Ze lachte toen Aafke haar blik ving.

Na een kwartiertje kwamen Trea en Johan naar het restaurant. 'De volgende,' zei Trea. 'Pa kijkt al naar jullie uit.'

Aafke en Tim stonden op. Tim nam Lisanne bij de hand, terwijl Aafke de buggy met Stijn naar de lift duwde. Lisanne mocht op het knopje duwen. 'En dan zijn we bij de nieuwe opa.'

Aafke keek naar Tim. Zijn gezicht was gespannen, maar dat was logisch onder deze omstandigheden.

Hij liep haar voor naar de kamer waar Mat lag en duwde de deur open. Mat zat net als de vorige keer in de rolstoel bij het raam. Tim liep op hem af en sloeg zacht zijn armen om hem heen. 'Dag pa,' zei hij nu. Het klonk niet eens vreemd, zelfs wat vertrouwd.

'Dag jongen,' klonk de bevende stem van zijn vader.

Tim kwam weer overeind en wees naar Aafke. 'Dit is mijn vrouw, Aafke.'

Aafke gaf Mat een hand. 'Fijn om kennis met u te maken.' Ze probeerde haar schrik niet door te laten klinken in haar stem. Wat was haar schoonvader mager! En zo oud zag hij eruit! Hij leek wel twintig jaar

ouder dan haar eigen vader, die toch hooguit een jaar of vijf jonger was.
'En dit is Lisanne. Krijgt opa een handje van je, Lisanne?'
Maar Lisanne had een heel ander beeld bij het woord 'opa' gehad dan hoe die opa er in werkelijkheid uitzag. Ze verborg zich achter Aafke en schudde haar hoofd.
Tim liet het maar zo, het had geen zin om dit te forceren bij Lisanne. Hij pakte de buggy en duwde die naar de rolstoel toe. 'En dit is Stijn, dit is uw kleinzoon.'
Mat keek naar het jongetje dat hem vriendelijk toelachte. 'Dit is uw kleinzoon.' Het woord zei hem niets, hij voelde er ook niets bij. Hij keek weer naar Tim, die tegen het bed leunde, en daarbij begonnen zijn ogen wel te glanzen. Daar stond zijn zoon!
Aafke had wat stoelen bijgeschoven en ging naast Mat zitten. 'Hoe is het nu met u?'
Mat schudde zijn hoofd. 'Niet zo best,' zei hij met hese stem. 'Niet zo best.'
Lisanne kwam bij Aafke staan. 'Ik wil op schoot,' zei ze. Aafke tilde haar op. Zo dicht bij die vreemde man die ook een opa was, keek Lisanne hem argwanend aan. Maar toen die opa zo rustig in die rare stoel bleef zitten, werd ze van lieverlee wat nieuwsgieriger. 'Hé, die stoel heeft wielen,' viel haar ineens op. 'Kan deze opa niet zelf lopen?'
'Nee, deze opa is al een beetje oud,' antwoordde Mat. Hij lachte naar haar. Toen keek hij weer naar Tim. 'Mooie dochter heb je.'
'Ja hè, dat vind ik nu ook,' zei Tim. 'Ze lijkt op haar moeder.' Hij keek Aafke liefkozend aan. Die bloosde zowaar.
Tim keek naar zijn vader. Weer trof het hem hoe broos de man eruitzag, alsof er nog maar enkele draadjes waren die hem aan het leven vasthielden. Hij zocht naar woorden. Er waren zoveel dingen die hij had willen vragen, er was zoveel dat hij had willen vertellen, maar nu hij zijn vader voor de tweede keer zag, leek geen enkel woord passend genoeg.
Toen stapte hij op Mat af en ging op zijn hurken voor hem zitten, zodat ze elkaar in de ogen konden kijken. Hij pakte Mats hand en zei met onvaste stem: 'Pa, ik ben heel boos op u geweest. Ik dacht dat u nooit

meer naar ons omgekeken had nadat u weggegaan bent. Maar nu heb ik begrepen dat u wel contact met ons had willen houden, maar dat ma... In elk geval, ik wou even zeggen dat ik niet meer boos ben. Dat ik het alleen maar jammer vind dat al die jaren niet meer terug te draaien zijn, maar dat ik blij ben dat wij elkaar weer ontmoet hebben. En dat wou ik even kwijt.'

Mat zei niets, hij knikte alleen maar en keek met zijn waterige ogen naar Tim. Tim voelde dat hij zachtjes in zijn hand kneep. Zou hij begrepen hebben wat Tim gezegd had?

Tim ging weer staan. Hij keek op zijn vader neer. Haast niet te geloven dat hij zoveel boosheid gevoeld had voor deze man. Hij legde zijn hand op Mats schouder en zei: 'Dan gaan wij maar weer. Tirza komt hierna ook nog.'

Mat knikte moe. 'Dat is goed, jongen.'

Lisanne gleed van Aafkes schoot. 'Gaan we weer naar het restoorant?' vroeg ze. Dat was niet alleen een interessant woord, maar ook een interessante plek, waar veel meer te beleven was dan bij deze stille opa.

'Krijgt opa dan nu een handje?' vroeg Aafke. Dat kon er nu wel vanaf. Daarna huppelde ze naar de gang. Ze namen afscheid en wandelden terug naar het restaurant. 'Tirs, jouw beurt.'

Tirza en Hans stonden op. Tirza legde haar hand op Tims schouder en zei: 'We blijken nog een oma en een oom te hebben. Vraag maar aan Ties.'

Ties vertelde dat inderdaad hun vaders moeder nog leefde. Ze bleek niet eens zo ver van Trea vandaan te wonen. Mats broer was al jong geëmigreerd naar Australië, vorig jaar was hij nog overgekomen met zijn gezin. De moeder van Ties was na de scheiding contact blijven houden met Mats moeder, en toen Mats broer Theo overgekomen was, hadden ze elkaars zorgen gedeeld over Mat, die toen nog een zwervend bestaan leidde.

Tim hoorde het verdrietig aan. Wat een triest leven had zijn vader geleid. Ondanks dat er diverse mensen bij hem betrokken waren, was dat voor hem geen reden geweest om zijn levensstijl te veranderen. Door een combinatie van factoren – een scheiding, zijn kinderen niet

meer mogen zien, het verliezen van zijn baan, nog twee scheidingen – was zijn leven in een neerwaartse spiraal terechtgekomen waar hij niet meer zelfstandig uit kon komen. Misschien ook niet meer uit wilde komen. Om zijn pijn niet meer te hoeven voelen?
Tim dacht terug aan dat ene moment waarin hij het stuur om had willen gooien en zo een definitief einde had willen maken aan de last die hem toen drukte. Terwijl hij zoveel mensen om hem heen had die het leven wel de moeite waard maakten.
Hij keek naar Lisanne en Stijn, die op dat bewuste moment bij hem in de auto zaten, en die de reden waren geweest om te willen blijven leven. Hoe zou het gegaan zijn als hij toen alleen in de auto gezeten had, als Aafke en zijn kinderen om de een of andere reden uit zijn leven waren verdwenen? Was hij er dan nog geweest?
Had zijn vader een ander leven gehad als het contact met zijn kinderen wel in stand had kunnen blijven? Was zijn moeder de 'schuld' van het leven dat zijn vader geleid had?
Hij dacht terug aan het verhaal dat Hanneke verteld had, over die moeder die geen aandacht had voor de tekening van haar dochter, en dat ook daar de schuldvraag ter sprake was gekomen. Een vraag die niet te beantwoorden bleek, omdat zoveel verschillende factoren een rol speelden. Zoals bij zijn vader.
Hanneke had toen weer dat voorbeeld van die rotonde gebruikt. Een mooi voorbeeld, maar zo eenvoudig was het blijkbaar niet voor de diverse betrokkenen om een andere afslag te nemen. Zijn moeder had ervoor gekozen om haar kinderen van hun vader weg te houden, had zich daarin misschien wel laten leiden door haar haat tegen zijn vader en haar angst om haar kinderen kwijt te raken. Zijn vader had gekozen voor een nieuwe liefde in zijn leven, waardoor hij uit het leven van zijn kinderen verdwenen was, en had zijn toevlucht in de drank gezocht toen de dingen anders gingen dan hij gewenst had. Waar had hij zich door laten leiden? Door zijn pijn? Of was het een gebrek aan karakter? Zijn moeder was een verbitterde, eenzame vrouw geworden en zijn vader een doodzieke, broze man. Konden zij nog een andere afslag nemen? Zo simpel was het dus niet.

Maar kijk eens naar hemzelf? Hij had zich toch ook laten leiden door zijn boosheid? Als Tirza niet op zoek was gegaan naar hun vader, had hij hier niet gestaan. Dan was het geen 'pa', maar nog steeds 'die man' geweest. Welke afslag zou hij zelf nemen als het ging om zijn moeder? Zou hij boos op haar blijven om wat zij gedaan had, of was er ook een andere mogelijkheid?
En die angst, die er bij Lars uit gekomen was, had hij zich daar ook door laten leiden? En zijn behoefte aan bevestiging, in hoeverre was dat een drijfveer geweest in zijn leven? Allemaal dingen om over na te denken en om bewuster mee om te gaan. Hij was blij dat hij nog niet klaar was bij Lars.

De weken daarna gingen ze zo vaak mogelijk bij Mat op bezoek. Tim had de tijd wel stil willen zetten toen hij zag dat zijn vader steeds meer achteruitging. Hij had nog zoveel willen zeggen, nog zoveel willen vragen. Hij voelde hoe de spanning weer bezit wilde nemen van zijn lijf, maar door daar nu bewuster mee om te gaan, bleef het bij een wat opgejaagd gevoel. Het was alsof hij de dood van Mat, die onmiskenbaar dichterbij kwam, voor wilde blijven.
Hij had zijn vader willen vragen naar zijn herinneringen van vroeger, maar Mats geheugen vertoonde zoveel gaten dat Tim er maar mee opgehouden was. Hij merkte dat zijn vader zich ervoor geneerde dat hij het antwoord op Tims vragen schuldig moest blijven.
Tim worstelde met zijn eigen schuldgevoel. Had hij zich nu maar niet laten leiden door het verhaal van zijn moeder en door de haat die hij klakkeloos van haar overgenomen had! Als hij al eerder op zoek was gegaan naar zijn vader, dan was het misschien niet eens zover gekomen dat zijn vader meer was gaan drinken, waardoor hij uiteindelijk levercirrose had gekregen. Dan hadden ze misschien zelfs veel voor elkaar kunnen betekenen. Had hij nu maar... Als...
Aafke probeerde hem daarbovenuit te tillen. 'As is verbrande turf,' zei ze. 'Dat zegt opa De Bont altijd als hij iemand 'ja maar als...' hoort zeggen. Je moet niet stil blijven staan bij het 'als' en 'had ik maar', maar kijken naar wat je nog wel hebt. Het had ook gekund dat jullie elkaar in

dit leven niet meer tegengekomen waren.'
Tim probeerde het van die kant te bezien. Ja, ze waren nu weer verenigd, maar voor hoelang? Hoe maakten ze van die tijd 'kwalitijd'?
Tirza hielp hem daarbij. Toen Tim een keer samen met Tirza op bezoek was, zag hij Mat genieten van haar liefde en zorg. Ze knipte zijn nagels, bracht een nieuwe pyjama voor hem mee, fleurde zijn kamer op met verse bloemen, hing een mooi schilderijtje op, stuurde geregeld een kaartje. Mat hoefde niet eens zoveel te zeggen. Ze hield haar hand in zijn hand en vertelde grappige voorvallen van Gertjan, vertelde hem over haar eigen leven, liet foto's zien van toen ze kind was, vertelde waar ze gestudeerd had, kortom: ze maakte hem deel van haar leven voordat ze elkaar weer teruggevonden hadden.
'Ik heb geen idee wat hij daar allemaal van oppikt,' zei ze tegen Tim toen ze na afloop van het bezoek naar de uitgang liepen. 'Maar ik vertel het graag, en ik zie dat hij er graag naar luistert.'
Tim dacht daarover na toen hij naar huis reed. Wat kon hij allemaal aan zijn vader vertellen? Over de geboorte van Lisanne en Stijn, en hoeveel hij van hen hield? Over buurman Marijn? 'Pa, u was er niet, maar gelukkig kreeg ik een buurman die als een vader voor me werd?' Zou hij zulke dingen kunnen vertellen zonder dat zijn vader daar een verwijt in zou horen?
Hij zuchtte. Hij wilde gewoon praten met zijn vader, zonder elk woord op een goudschaaltje te hoeven wegen.
Toen hij het er later met Aafke over had, zei ze: 'Misschien kun je iets samen met hem doen. Samen naar zijn favoriete muziek luisteren, of je kunt hem voorlezen uit een mooi boek met korte verhalen.'
'Maar ik ken zijn smaak helemaal niet,' wierp Tim tegen.
'Misschien weet Ties je daar wel iets meer over te vertellen. Of de officier van het Leger des Heils.'
Dat was een idee! Tim stond meteen op en pakte de telefoon. Hij typte Ties' inmiddels vertrouwde nummer in. 'Hoi, met je broer. Hoe is-ie? Zeg, ik heb een vraag...'

Ties kon hem niet verder helpen, maar de officier wist te vertellen dat Mat tijdens zijn zwerftochten geregeld naar de samenkomsten van het Leger was gekomen, dat hij daar altijd genoot van de muziek, en dat de gelijkenissen van Jezus zijn favoriete onderwerpen waren.
Dus kocht Tim een cd met Leger des Heilsmuziek en nam die samen met een cd-speler mee toen hij zijn vader een paar dagen daarna bezocht. Hij had ook de kinderbijbel bij zich, waaruit ze Lisanne 's avonds voorlazen, en een mooi plakwerkje dat Lisanne gemaakt had.
'Kijk eens, pa, van Lisanne, voor opa.'
Mat glimlachte. 'Dank je wel, jongen. Fijn dat je er bent.'
'Ik heb nog wat meegebracht,' zei Tim en hij haalde de cd-speler en de cd uit zijn tas. Hij zette de cd-speler op het nachtkastje van Mat en sloot die aan. Daarna deed hij de cd erin. Toen de eerste klanken van de brassband door de kamer klonken, hief Mat verrast zijn hoofd op.
'Hé...' Hij keek Tim aan. 'Dat is het Leger des Heils.'
Tim knikte. Hij ging naast Mat zitten en pakte zijn hand. Samen luisterden ze naar de cd. Mat wiegde af en toe mee op de maat van de muziek.
Toen de cd afgelopen was, pakte Tim de kinderbijbel. 'Zal ik ook wat voorlezen, pa?'
Mat knikte. Tim sloeg de bijbel open bij het verhaal van de verloren zoon en begon hardop te lezen. Tijdens het lezen pakte hij weer Mats hand.
Toen hij bij het gedeelte kwam dat de vader op de uitkijk stond, voelde hij hoe Mat in zijn hand kneep. 'Ja,' hoorde hij Mat zacht zeggen.
Met af en toe een verstikte stem las Tim het verhaal uit.
'Ja,' zei Mat toen weer, 'ik heb mijn zoon weer gevonden.' Hij keek Tim met betraande ogen aan.
'En ik heb mijn vader weer gevonden,' zei Tim. Hij sloeg zijn arm om zijn vader heen. Er hoefde niets meer gezegd te worden, het was goed zo.

'Dag Mat. Rust zacht.'
Langzaam zakte de kist in de grond.

Tim voelde Aafke in zijn hand knijpen. Hij keek rond in de kring van mensen om hem heen. Aan het hoofdeinde van de kist stond de officier van het Leger des Heils, die de korte dienst had geleid. Naast haar stond zijn oma, die dezelfde kleur ogen bleek te hebben als Mat en Lisanne. Een kleine, tengere vrouw, getekend door het leven. Daarnaast zijn oom Theo. Een forse man, met dezelfde bouw als Trea en Tim en hetzelfde scheve lachje. Hij was overgekomen voor de begrafenis, gisteren hadden ze met elkaar kennisgemaakt. Daarnaast Trea en Johan, Tirza en Hans, Ties en achter hem zijn moeder, en ten slotte Aafke en hij. Aan de andere kant van de officier stonden nog wat heilsoldaten, en daarnaast twee verpleegkundigen uit het ziekenhuis. Hanneke en Steven waren er ook. De begrafenisondernemer en de mannen die de kist gedragen hadden, stonden bescheiden op de achtergrond. Een klein clubje, dat vandaag afscheid nam van Mat Peters.
'Dag pa. Rust zacht.'

'Het is een jongen!' Roels blije stem schalde door de verloskamer. Hij keek met tranen in zijn ogen naar Lobke en zei: 'We hebben een zoon!'
De gynaecoloog keek op de klok: 'Kwart voor twaalf, toch nog een zondagskindje. Ik zei het, hè? Voor twaalf uur is het er.'
Lobke lachte hem vermoeid en bezweet toe. Dus zo voelde het om te bevallen. Nou, dat bleek een heel karwei! Zo moest Aafke zich dus gevoeld hebben toen Stijn net geboren was. Zelf bevallen was toch heel anders dan ernaast staan. Roel had, net als zij toen bij Aafke, mee staan persen, zijn hoofd zag er nog rood van.
De baby had zo te horen de bevalling goed doorstaan, zijn typische wat schorre babygekrijs vulde de hele kamer.
Roel werd heen en weer getrokken tussen Lobke en de baby. Hij wilde zijn zoon bewonderen en foto's maken, maar hij wilde Lobke toch ook niet alleen laten.
Lobke zag het aan zijn gezicht. 'Ga maar gauw foto's maken,' zei ze. Dat hoefde ze geen twee keer te zeggen. Even later klonk het geklik van de camera.

'En, hoe gaat de nieuwe wereldburger heten?' vroeg de gynaecoloog.
'Matthijs Franklin Steven,' zei Lobke. Ze lachte. 'Het klinkt niet echt soepel achter elkaar, maar we wilden beide vaders vernoemen, en Matthijs betekent 'Godsgeschenk'. Dat dit kindje een godsgeschenk voor ons is, is wel duidelijk, dus dat wordt zijn roepnaam.'
'Mooie naam,' zei de gynaecoloog. 'Nu nog even een klein beetje meepersen voor de placenta, zo... Goed zo! Roel, wil je nog zien hoe de baby in Lobkes buik gezeten heeft?'
Hij liet Roel zien hoe de vliezen om de baby heen gezeten hadden. Toen liet hij een zakje bloed zien. 'En dit is navelstrengbloed, dat wordt opgeslagen voor jullie zoon. In de hoop dat hij het nooit nodig zal hebben.'
'Dat hopen wij ook,' zei Lobke. Hun zoon was al een wonder op zich, hij zou waarschijnlijk nooit een broertje of zusje krijgen dat hem beenmerg zou kunnen doneren als hij, net als Lobke destijds, leukemie of iets dergelijks zou krijgen en zoals Sanne aan haar had gedoneerd. De mogelijkheid om zijn navelstrengbloed op te laten slaan, hadden ze daarom met beide handen aangegrepen.
Matthijs was inmiddels aangekleed en lag nu smakkende geluidjes te maken. Lobke keek verlangend naar de zuster. 'Mag ik hem nu?'
'Ja hoor, hier is je zoon. Tweeëndertighonderd gram schoon aan de haak, bijna zesenhalf pond.'
Lobke kreeg het bundeltje mens in haar uitgestrekte armen. Ze drukte het ontroerd tegen zich aan. 'Welkom in de wereld, manneke.'
Ze snuffelde bijna begerig aan zijn hoofdje, dat onder een klein blauw mutsje schuilging. 'Wat ruik je bijzonder!' Ze dronk het beeld in van haar zoontje. Zijn kleine samengeknepen oogjes, zijn donkere haartjes die onder het blauwe mutsje uit staken, zijn zachtroze wangetjes, zijn kleine knuistjes. Alles was mooi aan hem!
Ze lachte naar Roel. 'Mooi hè?'
Roel knikte. Mooi, en ontroerend, Lobke met hun baby. Hij pakte zijn camera weer. Klik!
Lobke stak haar hand uit. 'Mag ik je mobieltje, dan kan ik pap en mam bellen. Die zitten al een week in spanning. En je vader en Aafke en Tim

zitten vast ook al hele dagen aan de telefoon gekluisterd.'
Bij Aafke en Tim werd de telefoon al na twee keer overgaan opgenomen. 'Tim Peters,' klonk het slaperig aan de andere kant van de lijn. Op de achtergrond hoorde Lobke Aafke roepen: 'Dat is vast Lobke of Roel, de baby...' Toen kwam Aafke zelf aan de telefoon, blijkbaar had ze de hoorn uit Tims handen gegrist.
'En, wat is het?' Lobke en Roel hadden niet van tevoren willen weten wat het geslacht was van hun kindje. 'Het maakt niet uit, als het maar gezond is,' hadden ze gezegd.
'We hebben een gezonde zoon!' juichte Lobke. 'Bijna zesenhalf pond, alles zit erop en eraan. En hij is zo mooi!'
'Gefeliciteerd, zusje! Geweldig nieuws. En, hoe heet hij?'
'Matthijs Franklin Steven. Franklin en Steven naar de vaders, en Matthijs betekent 'Godsgeschenk',' zei Lobke.
'Ja, dat weet ik,' hoorde ze Aafke zeggen. 'Mooie naam, joh! Ik ben zo blij voor jullie! Als het niet midden in de nacht was, zou ik gelijk langskomen, nu moeten we wachten tot morgenavond. Hoe laat is het bezoekuur in het ziekenhuis?'
'Geen idee, maar dat staat vast wel op de site,' zei Lobke. 'Nou, ik ga ophangen, ik geloof dat mijn zoon wil drinken.'

Aafke gaf de hoorn terug aan Tim. 'Lobke en Roel hebben een zoon,' zei ze. 'En weet je hoe hij heet? Matthijs...'
Tim glimlachte in het donker. Matthijs. De naam die hij niet aan zijn eigen zoon had willen geven. Omdat hij zijn vader niet had willen vernoemen.
Het was nu alweer twee maanden geleden dat zijn vader overleden was. Tim was dankbaar voor de tijd die ze samen nog gekregen hadden. Maar ook voor de nieuwe familie die hij erbij gekregen had. Ties, zijn halfbroer, en oma Peters. Oom Theo was weer terug naar Australië, maar ze hielden contact via de mail.
Wat was er veel met hem gebeurd na de geboorte van Stijn, nu alweer meer dan een jaar geleden. Een jaar waarin hij veel geleerd had. Niet in de laatste plaats door de gesprekken met Lars. Hij glimlachte weer. En

daar had hij zich in eerste instantie zelfs tegen verzet! Het waren uiteindelijk twaalf sessies geworden. En Lars had gezegd dat Tim altijd bij hem aan mocht kloppen als het weer nodig zou zijn.
Het ging goed met hem. Binnen niet al te lange tijd zou hij weer aan het werk gaan. Niet meer als leidinggevende, maar weer terug op de werkvloer, als persoonlijk begeleider in een andere voorziening dan waar hij zelf leidinggevende geweest was. Er waren diverse gesprekken geweest met Joost, die het erg jammer had gevonden dat Tim ging stoppen met het leidinggeven, maar hij zei het wel te begrijpen. 'Mijn hart ligt bij het begeleiden van bewoners,' had Tim uitgelegd. Het zou wel even wennen zijn, maar Tim keek ernaar uit.
Twee maanden geleden was het leven van zijn vader geëindigd, en vannacht was er een nieuw leven begonnen. Het leven ging door. Matthijs. Godsgeschenk. Tim wist al wat de tekst zou worden op het geboortekaartje, dezelfde tekst die op het kaartje van Lisanne had gestaan: 'Van God ontvangen, in liefde verwacht, en met vreugde aanvaard.' Roel en Lobke hadden gevraagd of ze er geen bezwaar tegen hadden dat zij diezelfde tekst ook gebruikten voor hun kindje. 'Dat past zo bij onze situatie.'
Matthijs. In liefde verwacht. Matthijs kwam in een liefdevol nest terecht. Ook hij zou keuzes moeten maken als hij ouder werd. Wat zou het leven hem brengen? Zou het een snelweg worden met maar af en toe een richtingbepalende rotonde? Of zo'n randweg met rotonde na rotonde, waar geen eind aan leek te komen?
Er schoot hem een citaat te binnen dat hij bij Lars aan de muur had zien hangen: 'Ga niet waar de weg je leidt, maar ga waar geen pad is en laat je eigen spoor achter.' Ene meneer Emerson had dat geschreven.
Dat kon natuurlijk ook. Een mens hoefde geen gebaande wegen te gaan, en kon zelfs afwijken van wegen die hij eerst zelf gebaand had. Zoals hijzelf. Hij was een nieuwe weg ingeslagen waar zijn vader weer een rol speelde in zijn leven. Hij had ervoor gekozen om het contact met zijn moeder, hoe moeizaam dat soms ook ging, te blijven bewaren. En hij zou in zijn werk een nieuwe weg inslaan, een weg die dichter bij

zijn hart lag. Een andere afslag op zijn eigen rotonde van het leven. Hij dankte in stilte zijn schoonmoeder voor het beeld.
Hij ging op zijn zij liggen en kroop dicht tegen Aafke aan. Met een glimlach op zijn gezicht viel hij in slaap.